Time Quest: Umkehr des Schicksals ist ein fiktives Werk. Namen, Charaktere, Orte und Geschehnisse wurden erfunden. Jegliche Ähnlichkeit mit wirklichen Orten, Ereignissen, oder Personen, lebend oder verstorben, sind zufällig.

Große Druckausgabe

Die Amerikanische Originalausgabe erschien 2021 unter dem Titel *Time Quest: Reversal of Fate*

Cover design: Tina Folsom

Lektorat: Birgit Oikonomou

Autorenfoto: ©Marti Corn Photography

Bücher von Tina Folsom

Samsons Sterbliche Geliebte (Scanguards Vampire – Buch 1)

Amaurys Hitzköpfige Rebellin (Scanguards Vampire – Buch 2)

Gabriels Gefährtin (Scanguards Vampire – Buch 3)

Yvettes Verzauberung (Scanguards Vampire – Buch 4)

Zanes Erlösung (Scanguards Vampire – Buch 5)

Quinns Unendliche Liebe (Scanguards Vampire – Buch 6)

Olivers Versuchung (Scanguards Vampire – Buch 7)

Thomas‘ Entscheidung (Scanguards Vampire – Buch 8)

Ewiger Biss (Scanguards Vampire – Buch 8 1/2)

Cains Geheimnis (Scanguards Vampire – Buch 9)

Luthers Rückkehr (Scanguards Vampire – Buch 10)

Brennender Wunsch (Eine Scanguards Hochzeit)

Blakes Versprechen (Scanguards Vampire –

Buch 11)

Schicksalhafter Bund (Scanguards Vampire – Buch 11 1/2)

Johns Sehnsucht (Scanguards Vampire – Buch 12)

Ryders Rhapsodie (Scanguards Vampire – Buch 13)

Damians Eroberung (Scanguards Vampire – Buch 14)

Graysons Herausforderung (Scanguards Vampire – Buch 15)

Geliebter Unsichtbarer (Hüter der Nacht – Buch 1)

Entfesselter Bodyguard (Hüter der Nacht – Buch 2)

Vertrauter Hexer (Hüter der Nacht – Buch 3)

Verbotener Beschützer (Hüter der Nacht – Buch 4)

Verlockender Unsterblicher (Hüter der Nacht – Buch 5)

Übersinnlicher Retter (Hüter der Nacht – Buch 6)

Unwiderstehlicher Dämon (Hüter der Nacht – Buch 7)

Ace – Auf der Flucht (Codename Stargate – Band 1)

Fox – Unter Feinden (Codename Stargate – Band 2)

Yankee – Untergetaucht (Codename Stargate –

Band 3)

Tiger – Auf der Lauer (Codename Stargate – Band 4)

Ein Grieche für alle Fälle (Jenseits des Olymps – Buch 1)

Ein Grieche zum Heiraten (Jenseits des Olymps – Buch 2)

Ein Grieche im 7. Himmel (Jenseits des Olymps – Buch 3

Ein Grieche für immer (Jenseits des Olymps - Buch 4)

Der Clan der Vampire (Venedig 1 – 5)

Begleiterin für eine Nacht (Der Club der Ewigen Junggesellen – Buch 1)

Begleiterin für tausend Nächte (Der Club der Ewigen Junggesellen – Buch 2)

Begleiterin für alle Zeit (Der Club der Ewigen Junggesellen – Buch 3)

Eine unvergessliche Nacht (Der Club der Ewigen Junggesellen – Buch 4)

Eine langsame Verführung (Der Club der Ewigen Junggesellen – Buch 5)

Eine hemmungslose Berührung (Der Club der Ewigen Junggesellen – Buch 6)

Time Quest

Umkehr des Schicksals

Tina Folsom

1

Los Angeles, Freitag, 20. Juli 2085

Die einwöchige Schulung neigte sich dem Ende zu. Sieben Tage lang hatten die Rekruten – junge Männer wie Carter Ambrose – einen Crash-Kurs in Sachen ‚Leben im Jahr 2025' erhalten. Ein Historiker nach dem anderen, nach Carters Ansicht alle uralt, hatte Einzelheiten heruntergeleiert, die sogar einen Schlaflosen in den Tiefschlaf hätten versetzen können. Mehrere Hundert Rekruten im Alter von achtzehn bis fünfundzwanzig legten unterschiedliche Aufmerksamkeitsspannen an den Tag. Alle wollten, dass die Sache endlich losging. Doch Professor Henley, der grauhaarige Mann, der das Programm leitete, hatte sich das Beste für den Schluss aufgehoben: die Details ihrer bevorstehenden Zeitreise.

Die Aussicht auf eine Zeitreise war überhaupt der Grund, warum der Professor – mit dem Segen der Regierung – es geschafft hatte, so viele junge Männer zu rekrutieren, die gewillt waren, ihr Leben im Dienst der Menschheit zu riskieren. Welcher junge Mann würde nicht die Chance nutzen, in die Vergangenheit zu reisen? Es war ein Abenteuer und auch der Hauptgrund für Carter, sich zu verpflichten. Seine Eltern waren stolz auf ihn und seine Schwestern besorgt, doch hoffnungsvoll, dass er unversehrt zurückkehrte und seine Mission erfolgreich vollendete.

Ein klopfendes Geräusch aus den Lautsprechern des großen amphitheaterartigen Saales ließ die Anwesenden verstummen. Jeder Einzelne schenkte nun Professor Henley, der an einem kleinen Podium stand, seine volle Aufmerksamkeit. Die Wand hinter ihm und der

Boden unter seinen Füßen war eine ständig wechselnde Leinwand von Grafiken, die die Ausführungen des Sprechers veranschaulichten. Die Wände und Böden leuchteten jetzt in einem volltönigen Blau auf, das sogleich an mehreren Stellen verblasste, bis überall das gleiche Wort auftauchte.

„Romeos. So nennen wir eure Gruppe“, sagte Professor Henley mit seiner tiefen Baritonstimme.

Es gab ein Gemurmel, doch niemand sagte oder fragte etwas. Sie waren schlau genug, die Zeit des Professors nicht zu verschwenden.

„Ich erkläre euch den Grund später, aber lasst mich zuerst wiederholen, wie dringend und wichtig eure Mission ist.“

Hinter ihm erschienen Diagramme. Carter warf kaum einen Blick darauf. Er hatte sie schon zuvor gesehen und wusste, was sie darstellten, denn sein Vater war einer der Männer, einer der Wissenschaftler, die ausschlaggebend dafür gewesen waren, die Regierung auf die Schwere des Dilemmas der Menschheit aufmerksam zu machen.

„Die Menschheit hat viele Katastrophen

überlebt: den Klimawandel, der unsere Küsten und Küstenstädte mit steigendem Meeresspiegel zerstörte, und die großen Feuer, die den Amazonas-Regenwald verwüsteten; die Kriege, die wir führen mussten, um uns von Diktatoren und Tyrannen zu befreien; die Rassenunruhen, die Nachbarn zu Feinden machten. Wir haben AIDS geheilt; wir haben Hunger und Armut in der ganzen Welt ausgemerzt; wir haben den Klimawandel in den Griff bekommen und pflegen unsere Erde gesund. Doch die Pandemie, der im Jahr 2025 fünfzig Millionen Menschen weltweit zum Opfer gefallen waren, quält uns immer noch. Wir dachten, das wir aus deren Klauen entkommen waren, doch das war nur eine Illusion.“

Er stieß ein freudloses Lachen aus. Niemand im Raum atmete.

„Als ein Virus, das vom südamerikanischen Kontinent stammte, sich im Herbst und Winter 2025 auf der ganzen Welt verbreitete, handelten die Regierungen viel zu spät, um die Verbreitung zu verhindern. Wir hatten keine Ahnung, dass wir es mit einem Virus zu tun hatten, das ganz anders als jegliche andere Erkrankung war. Es verankerte sich in den DNA der weiblichen Überlebenden der Pandemie. Dort schlummerte es für Jahrzehnte im Verborgenen und mutierte viele Male. Selbst unsere besten Wissenschaftler waren verblüfft, als diese Erkenntnis uns am Kern unserer Existenz traf: der Fortpflanzung. Seit den 2050ern fielen die Geburtsraten weltweit rapide, doch die wahre Ursache wurde erst 2069 entdeckt. Zu spät. Neunundneunzig Prozent der weiblichen Weltbevölkerung sind nun unfruchtbar und unfähig, neues Leben zu schaffen."

Hinter dem Professor änderten sich die Diagramme und Fotos. Leere Kinderbetten und Entbindungsstationen formten eine unheimliche Collage.

„Hier kommt ihr ins Spiel. Ihr, die Romeos." Er lächelte, stolz darauf, dass er diesen Spitznamen erfunden hatte. „Wir erwarten von euch, dass ihr in die Zeit vor dem Ausbruch des Virus zurückreist, um diejenigen Frauen im gebärfähigen Alter zu finden, die laut den historischen Aufzeichnungen an dem Virus starben. Ihr müsst sie finden, euch mit ihnen anfreunden, sie umwerben - daher der Name Romeo - und sie in unsere Zeit, nach 2085, zurückbringen, bevor sie sich anstecken und dann wertlos für uns sind."

Carter hob eine Augenbraue. *Schlechte Wortwahl, Professor*. Selbst Carter als Zwanzigjähriger wusste so viel über Frauen, dass er sie nicht wertlos nennen würde.

„Irgendwelche Fragen, bevor ich weitermache?"

Über hundert Hände schossen hoch.

Professor Henley deutete zu einem Mann in der ersten Reihe. „Sie." Er warf einen Blick auf das Namensschild. „Joshua Fletcher."

„Warum können wir nur Frauen zurückbringen, die während der Pandemie starben? Hätten wir nicht eine bessere Auswahl, wenn wir die Kriterien etwas erweitern? Ich meine, was, wenn sie alle hässlich sind?"

Mehrere Rekruten lachten. Andere verdrehten die Augen.

Professor Henley verengte die Augen. „Weil ihr alle zu der Welt zurückkehren wollt, die ihr verlassen habt, oder etwa nicht? Ihr wollt zu dieser Version des Jahres 2085 zurückkehren, nicht einer anderen.“

Er blickte in die Menge, wo genug Rekruten verwirrt dreinschauten, sodass der Professor es für nötig ansah, ausführlicher zu antworten. „Wenn ihr bei Frau Professor Dorchester, die euch in Quantenphysik und dem Raum-Zeit-Kontinuum unterrichtete, aufgepasst hättet, dann würdet ihr mich jetzt nicht wie ahnungslose Fische anstarren.“

Er seufzte. „Na dann. Ein Auffrischungskurs. Solltet ihr irgendeine beliebige Frau aus dem Jahre 2025 herausnehmen und sie ins Jahr 2085 bringen, dann habt ihr die Vergangenheit verändert. Stellt euch vor, diese Frau hätte ein Kind gehabt, das dann eine wichtige Erfindung machte, zum Beispiel in der Medizin, Physik, Stadtplanung, oder sogar Kunst. Die Abwesenheit dieser Person, dieses Kindes und seiner Nachkommen, würde bedeuten, dass unsere Zukunft, die Welt, in der wir jetzt leben, sich verändern würde. Ihr würdet eine neue Zeitleiste erschaffen, eine, in der eure Familien vielleicht gar nicht existieren.“

„Meinen Sie so, als wenn Albert Einsteins Mutter hierher in die Zukunft gereist wäre, bevor ihr Sohn geboren wurde?“, rief ein Rekrut aus.

„Genau. Wir haben diese Frauen bedachtsam ausgesucht, und zwar aus der Gruppe derer, die in der 2025 Pandemie starben, damit ihr keine Sorge haben müsst, das Raum-Zeit-Kontinuum zu stören. Nur Frauen, deren Schicksal es ist zu sterben, dürfen in unsere Zeit zurückgebracht werden. Das ist die einzige Regel, die ihr nie brechen dürft, egal was geschieht.“ Dann sah er Joshua Fletcher an. „Egal wie hässlich die Frau ist, die euch zugewiesen ist.“

Dieser Kommentar löste lautes Lachen in der Menge aus und Joshuas Gesicht lief rübenrot an.

Carter zog einen Mundwinkel hoch. Er hatte den gleichen Gedanken gehabt wie Joshua, doch war er schlauer: Er hatte diesen nicht geäußert, sonst wäre er jetzt derjenige mit dem roten Gesicht.

2

Einige Augenblicke nach Professor Henleys Vortrag wurde die große Gruppe in mehrere kleine aufgeteilt. Carters Gruppe von zwei Dutzend Rekruten war die erste, die zu einem großen Aufzug geführt wurde, der zur untersten Etage des riesigen Komplexes hinabfuhr.

„Autorisierung Level A für Zugang notwendig“, forderte eine Stimme aus dem Lautsprecher, kurz bevor der Aufzug anhielt.

Eine ältere Frau im weißen Kittel blickte in einen Netzhautscanner und einen Augenblick später verkündete die Computerstimme: „Netzhautscan akzeptiert."

Die Türen öffneten sich.

„Nach links zum ersten Raum. Meine Kollegin erwartet euch schon", wies sie an.

In dem Moment, als der letzte Rekrut den Aufzug verlassen hatte, trat sie wieder hinein und die Aufzugstüren schlossen sich.

Carter erreichte als Erster die offene Tür. Er betrat den großen Raum. Er war hell, mit weißen Wänden, die aus demselben glänzenden Material gemacht waren, mit dem alle Labors ausgestattet waren, um den Bereich steril zu halten. Tatsächlich sah dieser Untergrundraum sehr wie ein Labor aus, auch wenn dort scheinbar keine Experimente durchgeführt wurden. Stattdessen war der lange Tresen sauber, wenn auch nicht leer. Große – ziemlich dicke – Briefumschläge warteten darauf, einer für jeden Rekruten.

Hinter dem Tresen stand eine gut aussehende Frau, die höchstens fünfunddreißig sein konnte. „Rekruten", grüßte sie sie und bedeutete ihnen, sich zu nähern. „Bitte stellt euch jeweils vor einen der

Umschläge. Darin werdet ihr alles finden, was ihr für eure Mission im Jahr 2025 braucht."

Als sich die Rekruten entlang des Tresens aufstellten, landete Carter direkt vor der Frau. Er wollte gerade nach dem Umschlag greifen, als sie ihn an sich nahm und hineingriff. Sie zog etwas heraus, hielt es hoch und sagte: „Zuerst macht euch mit dem ganz normalen Handy vertraut."

Sie übergab es an Carter, der, genau wie die anderen Rekruten, es von allen Seiten begutachtete.

„Dies ist das Neueste vom Neuesten im Jahr 2025. Das iPhone 17."

Carter wechselte einen Blick mit dem Typen neben ihm. „Nicht mal meine Großmutter würde so etwas Altertümliches benutzen", flüsterte er seinem Nachbarn zu.

„Ja, meine Schwester würde mir das an den Kopf werfen. Billiges Zeug", erwiderte der Rekrut.

Die Dozentin schlug mit der Faust auf den Tresen, um alle zum Schweigen zu bringen. „In euren Augen ist das vielleicht billiges Zeug, doch im Jahr 2025 stellten sich Jungs wie ihr tagelang an, um an so ein Handy ranzukommen. Und nur damit ihr euch dessen bewusst seid: Dieses Handy war der Vorläufer der Kommunikationsmittel, die wir alle heute benutzen. Ohne die Innovationen der Männer und Frauen von Apple wäre die Technologie von heute nie entwickelt worden."

Niemand traute sich, noch ein weiteres kritisches Wort von sich zu geben.

„Eine Gebrauchsanleitung ist bereits auf euer *Holocom* geladen. Macht euch damit vor eurem Zeitsprung vertraut."

Instinktiv berührte Carter sein Holocom, das dünne Band, das um sein linkes Handgelenk lag und für alle außer den Träger unsichtbar erschien. Die Forschung, wie ein Chamäleon seine Farbe und seine Textur an seine Umgebung anpassen konnte, hatte die Entwicklung dieses Gerätes ermöglicht. War es erst einmal um das Handgelenk des Eigentümers gelegt, verschmolz es mit dessen Haut. Das Holocom war das iPhone des Jahres 2085, nur viel fortschrittlicher, schneller und scheinbar ohne Grenzen.

Ein Hologramm öffnete sich plötzlich und schwebte über Carters linkem Arm.

„Nicht jetzt!“, tadelte die Dozentin genervt.

„Tut mir leid“, sagte Carter schnell und schloss das Hologramm.

Sie entnahm dem Umschlag einen weiteren Gegenstand und hob ihn hoch. „Das ist eure Brieftasche. Sie enthält einen gültigen Führerschein in eurem Namen. Prägt euch die Einzelheiten ein. Euer Geburtsjahr wurde angepasst, sodass ihr im Jahr 2025 genauso alt seid wie jetzt. Merkt euch das Geburtsjahr. Hier findet ihr auch eine Karte mit eurer Sozialversicherungsnummer. Lernt sie auswendig.“

Irgendjemand am anderen Ende des Tresens hob seine Hand.

„Ja?“, forderte ihn die Dozentin auf.

„Was ist eine Sozialversicherungsnummer?“

„Sie kommt eurem Globalausweis gleich, hat aber weniger Ziffern. Also, weiter: Jeder hat auch etwas Bargeld in der Brieftasche. Das Geld stammt aus dem historischen Archiv und deshalb war der Vorrat begrenzt. Benutzt es nur, wenn ihr nicht anders bezahlen könnt. Euer iPhone hat mehrere Zahlungs-Apps, die im Jahr 2025 benutzt wurden. Wir haben diese mit gültigen Firmenkonten aus dieser Zeit verknüpft. Sie sollten keine roten Fahnen aufwerfen, bis ihr wieder zurück seid. Die Zahlungs-Apps funktionieren ähnlich wie euer Holocom."

Bargeld gab es nicht mehr. Alle Zahlungen wurden digital durchgeführt, entweder über das persönliche Holocom oder in Form einer elektronischen Überweisung, die von verschiedenen mobilen Zahlungsorten getätigt werden konnte, wo ein Netzhaut-Scan als Identifikation diente. Carter konnte sich nicht vorstellen, wie unorganisiert das Leben im Jahr 2025 gewesen sein musste, wo das Geld an verschiedenen Orten verteilt war, wo es ganz einfach verloren gehen oder gestohlen werden konnte.

Wieder griff die Dozentin in den Umschlag. Dieses Mal zog sie zwei Armbanduhren heraus, eine in schwarz, die andere in silber. „Dies sind eure Zeitreiseuhren. Die schwarze ist für euch, die silberne für die Frau, die ihr zurückbringt. Sie sind gepaart. Die silberne funktioniert nur in Verbindung mit der schwarzen.“

Alle probierten schon ihre Zeitreiseuhren an. Die Dozentin übergab Carter seine Geräte.

„Rekruten, bitte wartet im Raum nebenan. Ihr werdet einzeln aufgerufen, um die Details eurer Mission zu erfahren. Viel Glück.“

Carter sah etwas in ihren Augen, als sie ihnen viel Glück wünschte. War es dasselbe Gefühl, das auch seine zwei Schwestern, die nie eigene Kinder haben würden, gezeigt hatten? Hatte er in ihren Augen Hoffnung aufblitzen sehen, dass man auf Entbindungsstationen und in jedem Zuhause bald wieder die Schreie von Babys hören würde?

3

Das Wartezimmer war genauso spärlich eingerichtet wie der Raum, in dem die Romeos ihre Geräte erhalten hatten. Nur gab es einen Unterschied: Die Wände dienten als ein nahtloser Bildschirm, auf dem zur Auffrischung Informationen über das Jahr 2025 gezeigt wurden: an welche Regeln man sich halten musste und wie man die ausgegebenen Geräte bediente. In einem Kreis in der Mitte des Raumes standen vierundzwanzig Stühle nach außen gerichtet, damit jeder Rekrut mühelos die Projektionen anschauen konnte.

Carter hatte kaum damit begonnen, als er

auch schon in einen separaten, viel kleineren Raum gerufen wurde. Dort gab es nur einen Schreibtisch und zwei Stühle. Das Zimmer erinnerte Carter an die Verhörräume, die er in klassischen Filmen aus den 2020ern gesehen hatte.

„Ich bin Dr. Mandell“, stellte sich ein afroamerikanischer Mann vor und schloss die Tür hinter Carter. Er war etwa Mitte Vierzig und hatte einen Spitzbart. Er trug einen Laborkittel, auf dem sein Nachname mit einem Laser bedruckt stand. Stickerei war nicht mehr in.

„Setzen Sie sich.”

Carter kam der Aufforderung nach und beobachtete, wie Dr. Mandell auf eine Stelle auf seinem Tisch tippte. Ein großes Hologramm öffnete sich. Zuerst erschienen scheinbar wahllos Ziffern und Buchstaben, während Dr. Mandell auf der im Tisch eingebetteten Tastatur tippte. Schließlich öffnete er eine Akte und das Foto einer jungen Frau erschien in der oberen linken Ecke.

Carter fokussierte das Foto. Das Mädchen konnte nicht älter als achtzehn oder neunzehn sein. Ihr langes Haar war dunkelbraun und ihre

Augen von einem hübschen Blau. Aber das wahrlich Schöne an ihr war ihr Lächeln: offen und natürlich, warm und einladend.

„Ihnen wurde Julie Schneider zugeteilt. Sie ist im 2. Jahr ihres Studiums an der UCLA. Sie wird Anfang Oktober 2025, zu Beginn des neuen Semesters, mit dem Virus infiziert. Innerhalb von zwei Tagen wird sie ins Krankenhaus eingeliefert und fällt am selben Tag in ein Koma. Sie wird am 8. Oktober sterben, ohne das Bewusstsein wiedererlangt zu haben."

„Tragisch. Sie ist so jung", sagte Carter und dachte an seine eigenen Schwestern. Sie waren elf und zwölf Jahre alt, doch für ihr Alter ungewöhnlich weise. Sie waren die letzten ihrer Generation. Wenn das Romeo-Projekt scheiterte, würde es keine weitere mehr geben.

„Sie wird im August 2025 zwanzig Jahre alt. Wir haben all die Informationen zusammengesammelt, auf die wir Zugang hatten: Schulzeugnisse, Social-Media-Posts, rechtliche Dokumente, alles, was wir im historischen Archiv finden konnten. Sie dokumentierte ihr Leben recht eifrig auf Social

Media. Nur gut, dass es Facebook und Instagram gab, nicht wahr?“

Carter zuckte mit den Schultern. „Kann sein.“ Doch wenn er ehrlich war, dann musste er zugeben, dass er sich nicht vorstellen konnte, warum Menschen im Jahr 2025 – und dem gesamten ersten Quartal des 21. Jahrhunderts – so erpicht darauf gewesen waren, jede Einzelheit ihres Privatlebens auf einer öffentlichen Plattform zu dokumentieren, auf die jeder Zugriff hatte.

„Tja, ich sehe den Anreiz dazu auch nicht“, gestand Mandell. Er holte tief Luft. „Zumindest gibt uns das genügend Informationen über die Frau, damit Sie sich schnell in ihr Leben einbinden können. Sie haben sechs Monate, sie auf Ihre Seite zu bringen.“

Carter lachte leise. „Ich brauche keine sechs Monate, das dürfen Sie mir glauben. Geben Sie mir sechs Wochen und sie wird wie Wachs in meinen Händen sein.“

Mandell seufzte. „Aha, ich sehe, wir haben wieder mal einen übermütigen Idioten dabei. Das ist nichts Neues.“

„Ich bin kein –“

“Wenn Sie schon in einer Grube stehen, dann graben Sie doch nicht weiter, Mr. Ambrose.“

Carter unterdrückte den Fluch, der auf seiner Zunge lag.

„Ihr Vater hat uns schon von Ihnen erzählt.“

Das verärgerte ihn aber jetzt richtig. Sein Vater hatte ihm zugeredet, sich als einer der Ersten für dieses Programm zu verpflichten. Sein Vater hatte ihm gesagt, dass er an ihn glaubte, und trotzdem hatte er hinter Carters Rücken so über ihn gesprochen?

„Nachdem ich mich verpflichtet habe, unserem Volk zu helfen, redet mein Vater hinter meinem Rücken schlecht über mich?“

Jetzt war Mandell derjenige, der leise lachte. „Er hat nicht schlecht über Sie geredet. Er hat sie nur einen Hitzkopf genannt. Da hat er nicht unrecht. Er hat uns auch gesagt, dass Sie eine Herausforderung brauchen, sonst nehmen Sie den Job nicht ernst.“

„Eine Herausforderung?“

Mandell nickte und zeigte auf das Hologramm. „Das Mädchen ist Jungfrau.“

4

Dr. Mandell bedeutete Carter, durch eine zweite Tür in einen angrenzenden Warteraum zu gehen. Dieser war so nüchtern eingerichtet wie der vorherige, nur zeigten die Wände keine Videos an.

Carter verdaute immer noch die Information, dass die Frau – oder eher das Mädchen –, das er umwerben und mit sich zurück in das Jahr 2085 bringen sollte, noch Jungfrau war. Nicht, dass Carter noch nie mit einer Jungfrau geschlafen hätte – das hatte er, einmal! Er hatte es nicht unbedingt vergnüglich gefunden und auch nicht vor, diese Erfahrung zu wiederholen. Das Mädchen hatte keine Ahnung gehabt, was sie tat, und die ganze Sache war ein epischer Fehltritt gewesen. Und jetzt sollte er eine Jungfrau umwerben, um die Menschheit zu retten? Machte sich da jemand einen Spaß auf seine Kosten?

„Na dann danke, Dad“, murmelte er zu sich selbst. Er hatte eine gute Beziehung zu seinem Vater, besser als die meisten Teenager oder Zwanzigjährigen. Doch gab es Zeiten, wo sie aneinander gerieten.

Tja, Carter musste einfach das Beste aus der Situation machen. Er nahm im Wartezimmer Platz und studierte zuerst die Gebrauchsanleitung für seine Zeitreiseuhren. Diese war einfach: die Zeit und das Datum einstellen, zu dem man reisen wollte, und dann draufdrücken. Davon überzeugt, dass er das im Griff hatte, öffnete er die Akte des Mädchens auf seinem Holocom, um sie zu lesen.

Julie Schneider war in der Tat eine eifrige Nutzerin einer Social-Media-Plattform namens Instagram. Er konnte sich dadurch einen guten Eindruck verschaffen, was sie gerne in ihrer

Freizeit machte, mit wem sie befreundet war und dass sie eine gute Studentin war. Er kam am Ende ihrer Social-Media-Posts an und es fiel ihm auf, dass diese etwa eine Woche, bevor sie mit dem Virus ins Krankenhaus eingeliefert worden war, aufhörten.

Sonderbar. Warum würde ein Mädchen, das täglich postete – sogar mehrmals am Tag –, plötzlich damit aufhören? Er öffnete ihre Krankenhausakte und las die Notizen des Arztes. Julies Symptome begannen am 4. Oktober. Von den Vorträgen des einwöchigen Trainings wusste Carter, dass die Inkubationszeit des Virus kurz war und irgendwo zwischen zwei und drei Tagen lag. Dies bedeutete, dass Julie sich am 2. Oktober infiziert hatte. Sie wurde am 6. Oktober in ernstem Zustand im Krankenhaus aufgenommen und fiel am selben Tag ins Koma.

Doch ihr letzter Facebook-Post war vom 26. September, eine volle Woche, bevor sie krank wurde. Warum hatte Julie plötzlich mit dem Posten aufgehört? Dafür musste es einen Grund geben. Er gab den Befehl ein, alle Daten ihrer Social-Media-Konten herunterzuladen. Zusätzlich begann er eine Suche aller offiziellen Aufzeichnungen für die Woche, bevor sie ins Krankenhaus eingeliefert worden war, und gab den Befehl *direkt zum Holocom speichern*. Die Daten waren bereits geladen, doch er bekam nicht die Gelegenheit sie durchzusehen.

Carter hörte plötzlich ein Geräusch im Raum und sah hoch.

„Sie müssen Carter Ambrose, der erste Zeitreisende, sein. Bitte kommen Sie herein."

Von einer Seitentür bedeutete ihm ein asiatisch aussehender Mann um die fünfzig, in einen kleineren Raum einzutreten. Er war groß und drahtig und hatte volles, schwarzes Haar und durchdringende grüne Augen.

Carter wusste, wer er war – der Leiter des Time-Quest-Programms. Das Institut wurde von der Regierung finanziert und arbeitete schon seit Jahrzehnten daran, Zeitreisen möglich zu machen.

„Dr. Hong", sagte Carter und streckte ihm seine Hand entgegen, als er in den Raum eintrat, in dem eine riesige Maschine stand, die aus mehreren großen Rädern und jeder Menge anderer Teile, die ihn an ein Uhrwerk erinnerten, bestand. „Es ist mir eine Ehre."

Dr. Hong schüttelte ihm die Hand. „Ich sehe, Sie wissen, wer ich bin."

„Wissen? Ich verfolge Ihre Karriere, seit ich mit fünf Jahren mein Holocom bekam."

Dr. Hong lächelte. „Danke." Er schien Carters Blick auf der Maschine ruhen zu sehen und deutete auf sie. „Unser erster Prototyp. Die Größe ist natürlich sehr unpraktisch, aber dieses Modell hat uns geholfen, die Handhabung zu verstehen."

„Es sieht beeindruckend aus."

Dr. Hong lachte leise. „Tja, dann fangen wir mal an. Zuerst brauche ich Ihr Holocom."

Mit hochgezogenen Augenbrauen fragte Carter: „Warum?"

Wenn eine Person im Alter von fünf Jahren einmal sein Holocom bekommen hatte, legte sie dies so gut wie nie ab. Es war dynamisch und wuchs mit der Person mit.

„Ich muss alles davon entfernen, das auf unsere Zeit zurückführen könnte, sollte es in die falschen Hände geraten. Sie behalten alle

Akten, die Sie für Ihre Reise brauchen. Diese wurden direkt auf das Holocom gespeichert. Allerdings werden Sie, sobald Sie im Jahr 2025 ankommen, keine Live-Updates mehr von unseren Servern erhalten, da diese in der Tat noch nicht existieren."

Carter verstand das. „Aber wird das Holocom noch funktionieren?"

„Ja. Es wird ständig durch die Energie Ihres Körpers gespeist. Aber Sie werden keine neuen Informationen darauf bekommen. Sie können damit auch mit niemandem in Verbindung treten, nicht einmal mit einem anderen Rekruten, der in dieselbe Zeit und an denselben Ort geschickt wurde. Sie sind auf sich alleine gestellt."

Dr. Hong streckte seine Hand aus und Carter nahm das Holocom von seinem Arm und legte es in die Hand des Wissenschaftlers. Dr. Hong ging zu einem Schreibtisch und legte das Holocom in eine Halterung. Carter folgte ihm und beobachtete, wie er die Einstellungen des Holocoms öffnete und dann änderte. Er arbeitete schneller, als Carters Augen ihm folgen konnten.

„Fertig“, sagte er schließlich und gab ihm das Holocom zurück. „Und nicht vergessen, was man Ihnen während des Trainings mitgeteilt hat: Sie müssen beim Duschen im Jahr 2025 das Holocom abnehmen. Das Chlor, das damals in der Wasserversorgung vorhanden war, könnte Ihr Holocom beschädigen und eine Fehlfunktion auslösen. Verstanden?“

Carter nickte.

„Gut. Jetzt haben Sie nur noch die folgenden Akten auf dem Holocom: die Gebrauchsanleitung für Ihre Zeitreiseuhren und das iPhone sowie eine Karte des heutigen Los Angeles, die Sie brauchen werden, um Ihre Heimreise zu planen, und natürlich die Akten über Ihr Zielobjekt.“

Zielobjekt? Wieder eine schlechte Wortwahl. Konnten diese Wissenschaftler nicht einfach *Mädchen* oder *Frau* sagen? Doch Carter würde es nie wagen, Dr. Hong zu kritisieren. Er war sein Held. Und wenn es Time Quest gelang, die Zivilisation vor dem Aussterben zu bewahren, dann würde er jedermanns Held werden.

„Ich gebe Ihnen eine Stunde, sich mit den Akten auf Ihrem Holocom vertraut zu machen. Und dann schicke ich Sie zurück ins Jahr 2025."

„Ich bin so weit. Ich habe mir bereits alles eingeprägt, was ich über die, äh, Frau wissen muss", sagte Carter. Er konnte sich nicht dazu überwinden, sie *Zielobjekt* zu nennen.

„Na gut. Nur noch zwei Sachen, bevor wir anfangen. Die Zeitreiseuhr hat nur eine beschränkte Kapazität. Wenn Sie erst einmal in der Vergangenheit sind, hat sie nur noch genügend Energie, um Sie nach Hause zu bringen. Also geraten Sie nicht in Versuchung, einen zweiten Zeitsprung noch weiter in die Vergangenheit zu initiieren, um einen Fehler beim Versuch, Ihr Zielobjekt davon zu überzeugen, mit Ihnen zu kommen, auszuradieren. Wenn Sie das tun, dann sitzen Sie in der Vergangenheit fest. Verstanden?"

„Ja, und die zweite Sache?"

„Der Zeitsprung nach Hause wird automatisch am Montag, den 29. September 2025 um zwei Uhr morgens initiiert, falls Sie nicht schon früher zurückspringen. Das ist als letzte Rettung gedacht für den Fall, dass Sie handlungsunfähig sind. Sorgen Sie dafür, dass Ihr Zielobjekt zu dem Zeitpunkt die silberne Uhr trägt oder sie wird zurückgelassen.“

„Verstanden. Dann lassen Sie uns mal.“

„Oh, und beinahe hätte ich es vergessen. Sie werden am selben Ort wie dieses Gebäude ankommen, da sie sich nicht im Raum bewegen, sondern nur in der Zeit. Im Jahr 2025 ist dies ein Friedhof in Westwood, nahe der UCLA. Ihr iPhone wird Ihnen dabei helfen, sich zu orientieren. Schalten Sie es sofort an, wenn Sie ankommen. Es wird automatisch eine Verbindung zum kostenlosen Wi-Fi in Los Angeles erstellen.“

Carter nickte. „Ich bin so weit.”

„Bitte stellen Sie Ihre Uhr auf den 25. März um 21 Uhr.“

Carter tippte ein paarmal auf der Uhr herum, bis die richtige Uhrzeit und das richtige Datum erschienen. „Erledigt.“

„Wenn Sie so weit sind, dann drücken Sie die zwei Knöpfe auf beiden Seiten des Ziffernblattes gleichzeitig. Das initiiert den Zeitsprung. Viel Glück!“

Carter nickte und streckte dem Doktor nochmals die Hand entgegen, um diese zu schütteln. „Auf bald."

Augenblicke später berührte Carter seine Uhr und spürte die Knöpfe auf dem Ziffernblatt. Seine Hände waren ganz plötzlich etwas feucht und sein Zeigefinger rutschte ab. Er sah hoch und bemerkte, wie Dr. Hong ihn beobachtete. Er wollte nicht unbeholfen aussehen, also warf er diesem einen zuversichtlichen Blick zu und drückte dann die Knöpfe, ohne hinzusehen.

Plötzlich schien sich alles um ihn herum in Pixel aufzulösen. Sein Körper blieb reglos, doch die Welt um ihn herum wirbelte umher und drehte sich so schnell, dass die verschiedenen Farben sich miteinander verbanden und zur Summe aller Farben wurden. Ein blendendes Weiß verbreitete sich um ihn, bevor das Licht trüb wurde und sich die Pixel wieder miteinander verbanden und eine neue Welt um ihn herum erschufen.

Carter sah sich um. Er stand inmitten von Grabsteinen und weißen Kreuzen und wusste, dass er angekommen war.

Er stieß seine Faust in die Luft. „Ich hab’s geschafft!“

Carter kam sofort Dr. Hongs Anweisung nach, nahm sein Handy heraus und schaltete es an. Es dauerte nur ein paar Sekunden, bis dieses sich in das kostenlose Wi-Fi einwählte. Doch bevor er zu der Landkarten-App gehen konnte, zeigte ihm das Display das Datum an: Donnerstag, 25. September 2025.

Der Schock durchfuhr ihn. “Fuck!“

Er war weniger als eine Woche vor seiner geplanten Rückreise nach 2085 gelandet. Irgendetwas war ernsthaft schiefgelaufen. Er saß in der Scheiße!

5

Los Angeles, Donnerstag, 25. September 2025, 21:25 Uhr

In ihrem neuen Zimmer in dem Haus, das sie sich mit sieben anderen Mädchen, die an der UCLA studierten, teilte, blickte Julie Schneider auf die Schachteln, die sie heute über die Treppe zum ersten Stock hinauf geschleppt hatte. Endlich hatte sie ein Zimmer für sich allein. Während ihrer ersten zwei Jahre auf der Uni hatte sie im Studentenwohnheim gewohnt und sich das Zimmer mit einem Mädchen geteilt, dessen Schnarchen Tote wiederauferstehen lassen konnte. Obwohl

Kathleen in anderen Sachen eine sehr rücksichtsvolle Wohngenossin war, hatte Julie unter dem fehlenden Tiefschlaf gelitten.

Julie drehte sich um ihre eigene Achse. Sie war glücklich darüber, dass sie endlich etwas Privatsphäre hatte und gleichzeitig doch die Gesellschaft anderer genießen konnte. Das dreistöckige Haus war riesig. Es war eine alte Villa, die irgendwann in der Vergangenheit einmal einer reichen Familie mit mehreren Hausangestellten gehört hatte. Sie stand in Westwood und lag so günstig, dass man sowohl zum Universitätsgelände als auch zum Zentrum der Nachbarschaft mit den Cafés, Kinos, netten Boutiquen, Kneipen und Restaurants zu Fuß gehen konnte. Die Miete war etwas hoch, aber sie hatte noch Erspartes von ihrem Teilzeitjob in einem örtlichen Café.

Das Leben hätte nicht perfekter sein können. Sie zog ihr Handy heraus und knipste rasch ein Selfie mit den Kartons im Hintergrund. Das Foto gefiel ihr, also lud sie es schnell auf Instagram hoch und schrieb dazu: ‚Umzugstag! Ich liebe mein neues Zimmer. #Privatsphäre #Auspacken

#UCLAJunior #Erwachsen‘ Sie gab den Befehl ein, das Foto auch auf Facebook zu teilen, und postete es.

„Fertig!“, sagte sie zu sich selbst.

Es klopfte an der Tür.

„Herein.“

Tonia, ihre afroamerikanische Hausgenossin steckte ihren Kopf herein. „Wie läuft es mit dem Auspacken?“

Julie bedeutete ihr einzutreten und Tonia kam der Aufforderung nach.

„Ich wusste gar nicht, dass ich so viele Sachen habe“, sagte Julie und ließ sich aufs Bett fallen.

„Das ist noch gar nichts. Du hättest sehen sollen, wie viele Schachteln ich hatte! Ein Mädchen braucht nun mal viele Sachen, vor allem in ihrem 3. Jahr an der Uni.“

„Ich werde vermutlich tagelang nur am Auspacken sein.“

Tonia schüttelte den Kopf. “Das können wir nicht zulassen. Morgen Abend gibt‘s bei einer der Studentenverbindungen eine Party.“

„Für die habe ich bestimmt keine Zeit. Ich muss noch all meine Bücher und meinen

Papierkram organisieren und ... na ja, so einiges halt“, sagte Julie.

Außerdem mochte sie Partys nicht. Sie fühlte sich bei Veranstaltungen, wo sie niemanden kannte, immer unwohl. Sie war so gut wie sprachlos, wenn sie mit Männern unter dreißig reden musste, und es war noch schlimmer, wenn der Typ auch noch gut aussehend war. Ihre Mutter hatte sie auf ein Mädchen-Gymnasium geschickt und das bedeutete, dass sie keinerlei Erfahrung hatte, wie man mit Jungs umging. Während ihrer ersten zwei Jahre an der UCLA hatte sie sich vollkommen in ihr Studium vergraben, um in allen Fächern gute Noten zu bekommen, und war nur gelegentlich zu Veranstaltungen gegangen.

Tonia wedelte Julie mit dem Zeigefinger zu. „Diese Party darfst du nicht verpassen. Nicht solange ich was zu sagen habe. Wir gehen alle zusammen hin. Ich muss dir also einfach beim Auspacken helfen.“

Bevor Julie sie aufhalten konnte, ging Tonia auch schon auf eine der Schachteln zu und öffnete den Deckel. Sie sah hinein, dann warf sie Julie einen verdutzten Blick zu. „Du hast keinen Witz gemacht, als du von Büchern und Papierkram geredet hast.“

Julie zuckte mit den Schultern. „Ich habe dich gewarnt.“

„Wo sind deine Klamotten, Schuhe, Handtaschen, Schmuck, Make-up?“

Julie deutete auf den mittelgroßen Koffer, den sie schon zuvor geöffnet hatte. Auf einer Seite war er mit Schuhen, Toilettenartikeln und Unterwäsche gefüllt, auf der anderen Seite mit bequemer Sommerkleidung. „Dort.“

Tonia stieß einen entnervten Atemzug aus. „Wo ich herkomme, nennt man das eine Reisetasche für eine Nacht.“ Sie kniete sich auf den Fußboden neben dem Koffer und durchwühlte diesen. Schließlich sah sie hoch. „Mädel, da haben wir aber Arbeit vor uns.“

Tonia erhob sich und ging zur Tür.

„Was hast du vor? Ich dachte, du hilfst mir beim Auspacken“, sagte Julie.

„Ich hole Verstärkung.“

Tonia steckte ihren Kopf zum Flur hinaus und rief laut aus: „Hey Mädels, wir haben einen Mode-Notfall hier oben in Julies Zimmer.“

Mode-Notfall? Tonia nannte sie einen Mode-Notfall? Julie fühlte sich innerlich beschämt. Auf einmal klang Kathleens Schnarchen gar nicht mehr so übel.

Doch jetzt gab es kein Zurück mehr. Sie konnte bereits hören, wie mehrere Mädchen die Treppe hochliefen, um ihr zu Hilfe zu kommen. Obwohl Julie nicht glaubte, dass sie diese brauchte.

6

Los Angeles, Freitag, 26. September 2025

Carter verbrachte die Nacht, in der er im Jahr 2025 angekommen war, in einem kleinen Motel in der Nähe des Universitätsgeländes, verärgert über sich selbst, dass er den Zeitsprung irgendwie vermasselt hatte. Seine Nacht war ruhelos gewesen. Der Gedanke, dass er in seiner Mission scheitern und damit die Leute, die auf ihn zählten, enttäuschen würde, hielt ihn wach, bis er schließlich irgendwann nach Mitternacht einschlief. Als er erwachte, war es bereits Mittag.

Er duschte sich und benutzte die winzigen

Shampoo- und Seifenproben, die das Motel zur Verfügung stellte. Er hatte noch nie etwas dergleichen gesehen. Warum hatte das Badezimmer keine eingebauten Seifenspender? Wussten diese Leute denn nicht, wie verschwenderisch die Verpackung war oder dass das Plastik eines Tages eine riesige Umweltkrise hervorrufen würde, die zum Aussterben unzähliger Fischarten führte? Wissenschaftler hatten gut zwei Jahrzehnte gebraucht, um die Ozeane wieder hochzupäppeln. Tja, es schien, als würde Umweltschutz im Jahr 2025 immer noch nicht ernst genommen.

Die Kleidung, die Carter trug, war Vintage 2025 – eine ziemlich enge Hose aus dickem blauen Stoff. Jeans hatte der Dozent, der die Rekruten in Sachen Mode unterrichtet hatte, sie genannt. Kein Mann trug diese im Jahr 2085. Als die Geburtenrate in den 2050ern anfing zu fallen, hatten die medizinischen Wissenschaftler zuerst vermutet, dass Kleidung, die zu eng um den Unterleib eines Mannes lag, eine niedrigere Spermienanzahl hervorrief. Daraufhin waren enge Hosen, vor allem Jeans, aus der Mode geraten. Bis die Wissenschaftler dann herausfanden, dass die geringe Geburtenzahl tatsächlich einem mutierten Gen in der DNA der Frauen zuzuschreiben war, hatten sich die Männer bereits an andere Hosen gewöhnt und die Hersteller waren auf andere Materalien umgestiegen.

Aus dem kleinen Rucksack, den er aus 2085 mitgebracht hatte und der genauso aussah wie die Rucksäcke, in denen die Studenten von 2025 ihre Bücher trugen, nahm er ein frisches Hemd heraus und zog es über. Tatsächlich mochte er den kühlen Baumwollstoff auf seiner Haut sowie die Lässigkeit der Kleidung. In der Zukunft, aus der er kam, zogen sich die Leute anders an. Die Kleidung war etwas formeller und gleichzeitig einfacher. Mode interessierte die meisten nicht. Die Bevölkerung im Jahr 2085 sorgte sich um andere Dinge: das Überleben ihrer Spezies.

Und jetzt war es Carters Pflicht, das richtigzustellen, was er während seines Zeitsprungs vermasselt hatte, denn zu scheitern war keine Option. Wenn er in seiner Mission versagte, könnte er seinem Vater nie wieder in die Augen sehen. Er musste dies berichtigen.

Ohne den Luxus der Zeit, Julie kennenzulernen und sie dazu zu bringen, sich in ihn zu verlieben, musste er auf die Charme-Offensive setzen und sie innerhalb von ein oder zwei Tagen ganz verrückt nach ihm machen. Doch zuerst musste er sie finden. Die Informationen, die auf seinem Holocom zur Verfügung standen, zeigten die Adresse an, wo sie im März 2025 wohnte. Dort würde er anfangen, an der Tür klopfen und sich irgendetwas einfallen lassen, um ihre Bekanntschaft zu machen. Dann würde er einfach machen, was ihm in den Sinn kam, und auf das Beste hoffen. Seine Stärke war schon immer die Improvisation gewesen.

Carter brauchte etwas Zeit, um sich zu orientieren, bis er das Studentenwohnheim, das an der Grenze des Universitätsgeländes der UCLA lag, fand. Das Problem war, dass er dort nicht ohne Studentenausweis hineinmarschieren konnte. Leider klebte ein

Sicherheitsangestellter regelrecht am Eingang. Eine gute halbe Stunde beobachtete Carter den Eingang aus der Ferne, doch der Wächter verließ seinen Posten nicht. Wann immer jedoch ein Student oder eine Studentin das Gebäude betrat, schaute er nur flüchtig auf den Studentenausweis.

Das brachte Carter auf eine Idee. Als der nächste Student das Gebäude verließ, ging Carter in seine Richtung, um ihm den Weg abzuschneiden. Er joggte ein bisschen und peilte den Pfad des Studenten an und kollidierte mit ihm. Sie fielen beide zu Boden, doch Carter war darauf vorbereitet gewesen und gab den Sturz nur vor.

„Mann, sorry", entschuldigte sich Carter schnell und bot dem Typen seine Hand an, um ihm aufzuhelfen.

„Was zum Teufel, Mann!", schimpfte der andere. „Kannst du nicht aufpassen?"

Carter benutzte beide Hände, um dem Studenten aufzuhelfen. „Ganz im Ernst, es tut mir echt leid. Ich habe nur versucht, meinen Kumpel einzuholen. Ich habe dich nicht gesehen. Sorry."

Schließlich stand der Student wieder auf seinen Beinen und rückte den Rucksack, den er über seine Schulter geworfen hatte, zurecht. „Ja, ja, schon okay. Pass nächstes Mal auf.“ Dann eilte er davon.

Carter wandte sich in Richtung des Studentenwohnheims und öffnete seine Hand. Darin hielt er einen Studentenausweis mit dem Namen Thomas Stone.

„Danke für deine Hilfe, Thomas Stone“, murmelte er vor sich hin und ging auf den Eingang zu.

Carter hatte den Sicherheitsangestellten richtig eingeschätzt. Er sah nur kurz auf den Ausweis, erkannte, dass dieser gültig war, und gewährte ihm Zutritt. Hätte er genauer hingesehen, wäre ihm aufgefallen, dass das Foto darauf Carter überhaupt nicht ähnlich sah.

Carter hatte sich das Stockwerk und die Nummer von Julies Zimmer, das sie mit einer Mitbewohnerin namens Kathleen teilte, eingeprägt. Er schien nicht aufzufallen, als er sich zu Julies Stockwerk aufmachte und nach ihrem Zimmer suchte. Als er es gefunden hatte, stand er zuerst einen Moment lang vor der Tür. Was sollte er zu ihr sagen?

Er holte tief Luft und hob die Hand, um anzuklopfen, als die Tür plötzlich nach innen aufging.

Das Mädchen, das die Tür öffnete, war nicht Julie. Sie sah ihn verblüfft an. „Ähm, kann ich dir helfen?“

„Äh, hi, ich bin Carter. Ich, äh, ich bin auf der Suche nach Julie …“ Er schenkte ihr ein charmantes Lächeln und das Mädchen erwiderte dieses. Er hatte es immer noch drauf, bestätigte er sich.

Er war kein Idiot. Er wusste, dass er gut aussehend war und auf eine breite Palette von Frauen ansprechend wirkte. Und er war sich nicht zu schade, sein Aussehen und seinen Charme auch einzusetzen.

„Oh, hi, ich bin Kathleen, ihre Zimmergenossin.“ Sie kicherte. „Sie ist nicht hier. Sie wohnt gar nicht mehr hier im Studentenwohnheim. Vielleicht kann ich dir aushelfen, da Julie nicht hier ist?“

Oh ja, den Blick kannte er. Er würde ganz sicher nicht mehr als eine halbe Stunde brauchen, diese Schönheit zwischen die Laken zu kriegen. Leider hatte er dafür allerdings keine Zeit.

Carter zwang sich charmant zu lächeln. „Oh, das ist aber schade. Ich wünschte, du könntest mir helfen, aber ich muss wirklich mit Julie sprechen. Ich bin aus ihrer Heimatstadt in Minnesota. Meine Mutter ist mit Julies Mutter befreundet und hat mich gebeten, sie zu besuchen.“ Er beugte sich näher. „Meine Mutter kann sehr hartnäckig sein.“

„Oh”, sagte Kathleen und lächelte. „Meine auch.“

Carter grinste. „Ja, Mütter eben, nicht wahr? Weißt du, wo ich sie finden kann?“

„Sie hat mir ihre neue Adresse gegeben für den Fall, dass sie noch Post hierher bekommt. Ich kann sie dir per SMS schicken. Wie ist deine Handynummer?“ Sie zog bereits ihr Handy heraus.

Carter hatte nicht die Absicht, Kathleen seine Nummer zu geben. Das würde nur zu Komplikationen führen. Er zog ein Gesicht. „Leider wurde mir am Flughafen mein Handy gestohlen. Kannst du mir die Adresse aufschreiben?“

„Ach Gott, kein Handy in Los Angeles? Da bist du ja wirklich gestrandet.“

Sie hatte keine Ahnung, wie wahr das war.

„Ich hole schnell Papier und einen Stift.“

Ein paar Augenblicke später war sie zurück und drückte ihm ein Blatt Papier mit der Adresse in die Hand.

„Sie wohnt jetzt in einem Haus mit ein paar anderen Mädchen. Vielleicht mache ich das auch in meinem 4. Studienjahr. Ich habe es irgendwie satt, ein Zimmer zu teilen, weißt du. Manchmal will ich einfach meine Privatsphäre.“ Sie warf ihm einen zweideutigen Blick zu. „Also, äh, wenn du irgendwie in Schwierigkeiten gerätst –“ Sie deutete auf eine Telefonnummer auf dem Blatt. „– das ist meine Nummer. Ruf jederzeit an.“

Carter steckte den Zettel ein und lächelte. „Danke, Kathleen. Du bist ein Lebensretter.“

Er wandte sich um und marschierte den Gang entlang dorthin, woher er gekommen war.

7

Los Angeles, Freitag, 26. September 2025, 19:55 Uhr

Julie sah in ihr Spiegelbild. Außer ihrem BH und Höschen trug sie nichts, das ihr gehörte. Die Schuhe gehörten ihr nicht. Genauso wenig wie das knappe Kleid, das kaum bis zur Mitte ihrer Oberschenkel reichte. Und sie wollte gar nicht davon sprechen, wie viel ihres Busens zu sehen war.

Ihre Mutter hätte ihr nie erlaubt, so das Haus zu verlassen. Die Meinung ihres Vaters in dieser Sache kannte sie nicht. Seit der Scheidung ihrer Eltern, als sie vier Jahre alt war, spielte er keine Rolle mehr in ihrem Leben.

Wenn sie keine Fotos von ihm gesehen hätte, wüsste sie nicht einmal, wie er aussah. Er hatte sechs Monate nach der Scheidung wieder geheiratet und war mit seiner neuen Frau nach Europa gezogen. Ihre Mutter war nie über die Trennung hinweggekommen. Sie hatte nur ab und zu kurze Beziehungen gehabt. Und dann, als Julie im Sommer zuhause gewesen war, hatte ihre Mutter ihr gestanden, dass man ein Jahr zuvor einen aggressiven Brustkrebs bei ihr diagnostiziert hatte. Sie hatte Julie nicht damit belasten wollen. Julie hatte diese Nachricht wie ein Schock getroffen. Ihre Mutter war eine Woche, nachdem Julie nach Hause gekommen war, dem Krebs erlegen, fast so, als hätte sie nur noch so lange gekämpft, um ihre Tochter noch einmal zu sehen.

Die Beerdigung war eine kleine Angelegenheit gewesen. Nur ein paar Freunde und Kollegen aus ihrer Heimatstadt waren gekommen. Nachdem sie sich um den Nachlass ihrer Mutter gekümmert hatte, war

Julie zur UCLA zurückgekehrt und hatte sich sofort in einen intensiven Sommerkurs in Nanotechnologie gestürzt. Das hatte sie etwas vom Tod ihrer Mutter abgelenkt, doch sie dachte noch immer jeden Tag an sie.

Julie sah wieder in den Spiegel. Sie sah gar nicht so schlecht aus, obwohl sie das nie jemandem gestehen würde. Doch obwohl sie in dem Kleid hübsch aussah, bedeutete das nicht, dass sie sich auch darin wohlfühlte. Oder überhaupt in ihrer Haut. Wenn es um Jungs ging, war sie schon immer schüchtern gewesen. Natürlich hatte sie während ihrer Gymnasialzeit ab und zu ein Date, genauso wie während ihrer ersten zwei Jahre auf der Universität, doch wenn es zu intim wurde, machte sie immer einen Rückzieher.

Sie wusste, wie die anderen Studenten sie hinter ihrem Rücken nannten: eine Irreführerin. Sie mochte das Wort nicht, außerdem passte es auch gar nicht für ihren Charakter. Sie hatte nicht vor, jemanden irrezuführen. Sie war nur … na ja, wählerisch. Ja, das war eine viel bessere Beschreibung. Sie wartete nur auf den Richtigen. Jemanden, mit dem sie eine richtige Verbindung haben konnte. Und bis jetzt war ihr noch niemand begegnet, der dieser Vorstellung gerecht wurde. Doch vielleicht würde sie ja heute Abend jemanden treffen, der nicht nur ein oberflächlicher Typ war, jemanden, der nicht nur auf Sex aus war.

„Warum schaust du immer noch in den Spiegel?“, fragte Tonia von der Tür aus.

Julie drehte sich um. „Ich wollte nur ...“

„ ... sicherstellen, dass du großartig aussiehst?“ Tonia lächelte.

Nein, an das hatte sie nicht gedacht, doch ihre Wohngenossin würde es nicht verstehen. Also log sie stattdessen: „Ja, wollte nur schauen, dass alles passt.“

„Großartig“, sagte Tonia. „Belle, Michaela, Sandy und Olive sind schon gegangen. Claire hat sich ein paar Fingernägel abgebrochen und muss sie jetzt nochmal lackieren, aber wir warten nicht auf sie.“

„Und Emily?“

„Wie gewöhnlich ist sie nicht fertig. Sie ist gerade erst unter der Dusche. Sie kommt dann mit Claire nach.“

Tonia ging schon die Treppe hinunter. Julie

schnappte sich die winzige Handtasche, die Sandy ihr geliehen hatte, und folgte Tonia.

Sie sah ihrer neuen Freundin nach, wie diese ihren kurvigen Körper hin und her schwenkte. Ganz ehrlich beneidete sie Tonia um ihre perfekte Figur. Kein Wunder, dass sie bei den anderen Studenten so beliebt war. Heute Abend trug sie ein kurzes rotes Kleid, das so eng war, dass Julie sich wunderte, wie sie es geschafft hatte, den Reißverschluss zuzuziehen. Ihr Busen quoll förmlich aus dem Oberteil, doch Tonia bewegte sich, als gehörte ihr die Welt. Denn das war auch der Fall. Na ja, wenn die Welt aus einer Stundentenverbindung bestände.

Wenn Julie doch nur ein Gramm ihrer Zuversicht gehabt hätte. Sie seufzte.

In der Eingangshalle sah Tonia über ihre Schulter. „Ist alles in Ordnung?"

„Ja. Ich bin nur ein bisschen nervös. Ich kenne niemanden auf dieser Party."

Tonia zwinkerte ihr zu. „Noch nicht."

„Sehr lustig. Aber was, wenn niemand mit mir redet?"

Ihre Freundin verdrehte die Augen. „In

dem Kleid? Glaub mir, jeder Typ mit Augen im Kopf wird dich ansprechen wollen."

„Du redest dich leicht."

„Glaub mir, ich kenne mich da aus. Und jetzt hol mal dein Handy raus. Lass uns allen zeigen, wie schön wir heute Abend aussehen."

Julie nahm ihr Handy aus der Tasche und beugte sich näher zu Tonia. Die Köpfe aneinander gelehnt, grinsten beide breit in die Kamera. Klick.

Sie begutachteten die Aufnahme und waren zufrieden.

„Perfekt", stimmte Tonia zu.

Schnell machte Julie einen Post auf Instagram.

‚Ausgang mit meinen Wohngenossinen, bevor die Lesungen beginnen #UCLA #herausgeputzt #Party #Studentenleben #gesegnet #dasbesteleben #Fraternityparty'

„Ich wünschte, ich wäre weniger schüchtern, mehr wie du", sagte Julie.

Tonia öffnete die Haustür und trat hinaus. „Gegen Schüchternheit gibt's ein Heilmittel."

Julie starrte sie verwirrt an.

Tonia schmunzelte. „Gibt's in einer Flasche.

Alkohol, du Dummchen! Und dort, wo wir hingehen, gibt’s jede Menge davon. Das wird dich schon auflockern.“

„Ich hoffe, du hast recht.“

Jetzt blieb nur noch eine Frage unbeantwortet. Wie locker wollte sie denn werden?

8

Los Angeles, Freitag, 26. September 2025, 20:45 Uhr

Die Sonne war schon untergegangen, als Carter bei der Adresse ankam, die Kathleen ihm gegeben hatte. Er sah zu der dreistöckigen Villa hoch. Alle Fenster in den obersten zwei Stockwerken waren dunkel, doch in einem großen Raum neben der Eingangstür brannte Licht. Da keine Vorhänge oder Jalousien zugezogen waren, konnte Carter in den Raum hineinsehen. Es schien ein großes Wohnzimmer zu sein. Er trat näher und lauschte, konnte aber keinerlei

Laute aus dem Inneren des Hauses kommen hören.

Er stieg die drei Stufen zur Haustür hinauf, drückte die Klingel und hörte es drinnen läuten. Er wartete, hörte jedoch nichts, keine Tür, die auf- oder zuging, keine Schritte, die sich der Tür näherten oder die Treppe herunterkamen. Er klingelte ein zweites Mal, doch nichts regte sich. Das Haus war leer.

Das war nicht gut. Er konnte nicht noch einen Tag vergehen lassen, ohne mit Julie Kontakt aufzunehmen. Er musste sie heute Abend finden. Also musste er herausfinden, wohin sie verschwunden war. Vielleicht hatte sie im Haus einen Hinweis hinterlassen.

Carter blickte zur Straße zurück. Mehrere Autos fuhren vorbei, doch das Haus war etwas zurückgesetzt von der Straße errichtet worden und das Licht, das die Veranda und die Stufen zur Haustür beleuchten sollte, war entweder ausgebrannt oder ausgeschaltet. Carter ging zu den Fenstern und versuchte sie zu öffnen, wobei er hin und wieder einen Blick über seine Schulter zurück zur Straße warf. Alle Fenster an der Straßenseite waren verriegelt.

Er verließ die Veranda und ging um das Haus herum, wobei er jedes einzelne Fenster überprüfte, bis er endlich eines fand, das er hochschieben konnte. Er schlüpfte durch die Öffnung. Wieder auf den Füßen stehend, sah er sich um. Er war in einer großen Essküche gelandet. Einer sehr unordentlichen Küche. Seine Mutter wäre beim Anblick des schmutzigen Geschirrs mit Essensresten, das sich auf allen Oberflächen türmte, entsetzt gewesen. Sie hätte sofort den Reparaturdienst angerufen, um den Haushaltsroboter, der für das Aufräumen und Putzen zuständig war, reparieren zu lassen. Und dem Hersteller hätte sie auch noch die Leviten gelesen. Ja, seine Mutter ließ sich von niemandem etwas gefallen, vor allem nicht von einem Roboter.

Er verließ die Küche und wanderte durch die Zimmer im Erdgeschoss, bedacht darauf keinen Lärm zu machen, falls jemand zuhause war und schlief. Die Räume auf dieser Etage waren eindeutig Gemeinschaftsräume und er fand darin nichts, was darauf hingewiesen hätte, wo Julie und ihre Mitbewohnerinnen waren.

Er stieg die knarzende Holztreppe hinauf und es fiel ihm auf, dass in der Diele im ersten Stock das Licht brannte. Auf dieser Etage führten mehrere Türen zu Schlafzimmern. Und er hatte Glück: Auf jeder Tür befand sich ein Schild mit einem Namen.

Er fand den Raum, der Julies Zimmer sein musste, und trat ein. Hier war es zwar auch dunkel, trotzdem strömte genügend Mondlicht durch das Fenster herein, um zu sehen, dass Julie nicht da war. Er blickte durch die Scheibe. Das Zimmer ging zum Garten hinaus und konnte von der Straße aus nicht gesehen werden. Er hielt es für sicher, die Nachttischlampe anzuschalten.

Die Lichtquelle war ausreichend, damit er sich umsehen und nach etwas suchen konnte, das ihm einen Hinweis auf Julies Aufenthaltsort gab. Er bemerkte, dass einige Kleidungsstücke wahllos auf einem Stuhl lagen, als hätte sie mehrere verschiedene Outfits anprobiert. Auf ihrem Schreibtisch lag ein Kalender, doch nichts war für den heutigen Abend eingetragen.

„Hmm“, murmelte Carter zu sich selbst.

„Denk nach, Mann, denk nach. Wo geht ein zwanzigjähriges Mädchen an einem Freitagabend hin?"

Vielleicht war sie mit ihren Mitbewohnerinnen ausgegangen? Das hätte erklärt, warum niemand zuhause war. Und so wie er Julie mittlerweile kannte, wettete er, dass sie so einen Abend mit einem Selfie auf ihren Social-Media-Konten dokumentieren würde.

Carter schob den Ärmel seines Hemdes zurück und tippte auf sein Holocom. Er öffnete Julies Akte und scrollte zu den Informationen über ihre Social-Media-Konten. Ihr letzter Post auf Instagram zeigte ein Foto von Julie und einem schwarzen Mädchen. Beide waren aufgestylt und lächelten in die Kamera. Es sah so aus, als wäre das Foto in der Eingangshalle des Hauses gemacht worden. Er las die Beschreibung: *‚Ausgang mit meinen Wohngenossinen, bevor die Lesungen beginnen #UCLA #herausgeputzt #Party #Studentenleben #gesegnet #dasbesteleben #Fraternityparty.‘*

Also war es kein Abend mit den Mädels,

sondern eine Fraternity-Party. Noch besser. Es würde ihm nicht schwerfallen, die Party einer Studentenverbindung zu infiltrieren. Niemand würde denken, dass er nicht dazu gehörte. Doch welche Studentenverbindung? Da die Vorlesungen der Uni noch nicht begonnen hatten, war es sehr wahrscheinlich, dass so ziemlich jede Verbindung in der Stadt heute Abend eine Party schmiss.

Er scrollte nochmals durch die Akte, um zu schauen, ob Julie jemals irgendeine Fraternity mit Namen erwähnt hatte. Es war schneller, eine Suche zu erstellen, die durch alle geladenen Dokumente auf seinem Holocom ging und die aufzeigte, die eine Fraternity erwähnten.

Es dauerte nur ein paar Sekunden, bis die Ergebnisse auf seinem Holocom erschienen. Es waren nicht viele. Es war offensichtlich, dass Julie nicht viele Studenten kannte, die einer Verbindung angehörten. Auch erwähnte sie keine beim Namen.

Nur ein Suchresultat blieb noch übrig. Carter klickte darauf. Es war eine Polizeianzeige. Er sah genauer hin, doch er hatte keinen Fehler gemacht. Julie hatte am Samstagmorgen, dem 27. September 2025, eine Anzeige gemacht. Als er weiterlas, drehte es ihm den Magen um und die Galle kam ihm hoch.

Carter wusste im gleichen Augenblick, warum Julie nicht mehr auf ihren Social-Media-Konten gepostet hatte. Der Grund lag vor seinen Augen.

Julie Schneider war am Freitagabend, dem 26. September 2025 auf einer Fraternity-Party vergewaltigt worden. Todd Stirling, ein Student, der der Verbindung angehörte, hatte ihr Rohypnol, oder ein Roofie, untergejubelt. Julie hatte ausgesagt, dass sie nur zwei Drinks bei der Party getrunken hatte. Einen hatte sie sich selbst geholt, den anderen hatte Todd für sie eingeschenkt. Die Akte beinhaltete auch mehrere Fotos von einer mit blauen Flecken bedeckten Julie. Sie waren eindeutig in einem Krankenhaus aufgenommen worden. Auch ein Foto des Täters war in der Akte. Es war bei einer Sportveranstaltung der Universität gemacht worden.

Fuck!

Carter sah auf die Uhr. Er konnte nur hoffen, dass es noch nicht zu spät war. Von dem Polizeibericht kopierte er die Adresse der Fraternity auf der Gayley Avenue in sein Handy, um den schnellsten Weg dorthin zu finden. Dann raste er aus dem Haus.

9

Los Angeles, Freitag, 26. September 2025, 21:20 Uhr

Julie tadelte sich, dass sie auf ihre Mitbewohnerinnen gehört hatte. Sie hätte sich nie dazu überreden lassen sollen, zur Party zu gehen. Als sie und Tonia bei der Party angekommen waren, hatten Belle, Michaela, Sandy und Olive kaum zwei Worte mit ihr gesprochen. Sie hatten bereits Jungs getroffen, die sie kannten, und verschwanden sehr schnell in der Menge. Und kurz nachdem Julie und Tonia sich ein Getränk geholt hatten, war Tonia von einem Bekannten davongezogen worden. Eine halbe Stunde lang hing Julie nur am Rande des großen Partysaales herum und nippte an ihrem Getränk. Die überlaute Musik machte es unmöglich, sich mit jemandem zu unterhalten.

Als die Nachzügler ihrer Gruppe, Emily und Claire, endlich eine halbe Stunde später auftauchten, hatte Julie gehofft, mit ihnen rumzuhängen, damit es nicht so aussah, als wäre sie hier fehl am Platz. Aber es dauerte nicht lange, bis auch diese zwei zum Tanzen aufgefordert wurden. Plötzlich stand sie wieder wie ein Mauerblümchen da. Offensichtlich fanden Jungs ein Mädchen nicht automatisch anziehend, nur weil sie ein sexy Kleid anhatte. Hatte sie ‚jämmerliche Jungfrau' auf ihrer Stirn tätowiert? Oder einen Leberfleck auf ihrem Gesicht, von dem sie nichts wusste? Oder war es offensichtlich, dass sie sich in dem geliehenen Kleid nicht wohlfühlte?

Die Party war ein Reinfall. Julie trank den letzten Schluck der Bowle und sah sich um, wo sie den Becher absetzen konnte. Allerdings gab es in dem Raum weder irgendwelche Ablagen noch Tische. Sie konnte ja den Becher nicht einfach auf den Boden fallen lassen. Dafür war sie zu gut erzogen.

Seufzend ging sie in den kleineren, angrenzenden Raum, wo eine Bar aufgebaut worden war. Diese bestand aus einem großen Tisch mit der Bowle, jeder Menge Flaschen von Schnaps und anderen alkoholischen Getränken sowie einem Mischmasch von Bechern. Dort fand sie endlich einen Abfalleimer und warf ihren leeren Becher hinein. Hier war es nicht ganz so laut und die Leute standen herum und unterhielten sich.

Das war's dann für mich, dachte sie und wandte sich zum Gehen um. Gerade da machte sich der Alkohol bei ihr bemerkbar und sie schwankte ein bisschen. Anscheinend war die Bowle wesentlich stärker, als sie angenommen hatte.

„Hi."

Sie hob ihren Kopf und stellte sich dem Blick des Sprechers. Sie verschluckte sich beinahe an ihrer eigenen Spucke. Vor ihr stand Todd Sterling, der im Footballteam der Universität spielte. Zu sagen, dass er beliebt war, war eine Untertreibung.

Hatte er sie angesprochen? Vermutlich nicht. Er kannte sie nicht. Julie sah über ihre Schulter, um zu sehen, wen er begrüßte, doch hinter ihr stand niemand. Ihr Gesicht lief rot an, wenn die Hitze, die in ihr hochstieg, etwas zu bedeuten hatte, und sie wandte sich ihm wieder zu.

„Ich bin Todd“, sagte er mit einem Lächeln. „Ich glaube nicht, dass wir uns schon kennen.“

Sie brauchte einen Moment, um ihre Stimme wiederzufinden. „Ich bin Julie.“ War das ein Frosch in ihrer Kehle?

„Nett, dich kennenzulernen, Julie. Macht dir die Party Spass?“

„Äh ...“ Es war vermutlich besser, nicht zu sagen, dass sie gerade gehen wollte. Das würde sie nur lahm aussehen lassen. „Ja, absolut ... es ist toll. Die Musik ... und ja, super.“ Sie klang wie ein Schwachkopf. „Tolles Haus“, fügte sie schnell noch hinzu, um etwas intelligenter zu klingen. „Craftsman-Stil, oder?“

Jetzt war Todd derjenige, der verdutzt dreinsah. Ganz eindeutig hatte er keine Ahnung von Architektur. „Ja, wenn du’s sagst.“

Tja, jetzt hatte sie es also geschafft. Sie

hatte ihn dazu gebracht zu bedauern, sie angesprochen zu haben. Kein Wunder, dass sie Partys und mit Jungs zu reden nicht mochte. Es entwickelte sich nämlich nie so, wie sie es wollte.

„So“, fing er an, „was studierst du denn? Du bist doch auf der UCLA, oder?“ Er zwinkerte ihr zu. „Oder hast du die Party gecrasht? Du kannst es mir ruhig sagen. Ich werfe dich nicht raus.“ Er lachte.

“Ja, ich meine, nein, ich habe die Party … nicht gecrasht“, antwortete sie vollkommen nervös. „Ich studiere Nanotechnologie an der UCLA. Oder … eigentlich wird das meine Spezialisierung werden, wenn ich erst einmal meine Grundkurse in Technologie hinter mir habe. Und dann hoffe ich, meinen Master bei der MIT zu machen. Falls ich akzeptiert werde.“

Ein Blick auf Todd gab ihr zu verstehen, dass es ihn nicht wirklich interessierte. Er hatte sie nur gefragt, um höflich zu sein. Sie musste die Sache noch irgendwie retten, bevor er sich entfernte.

„Das waren tolle Spiele in der letzten

Saison. Ich hoffe, du spielst dieses Jahr auch wieder“, sagte sie schnell.

Er grinste. „Ja, muss ich. Football-Stipendium. Du hast dir also die Spiele angesehen? Hast du einen Lieblingsspieler?“

Beugte er sich näher zu ihr? Hitze stieg ihren Nacken hoch.

„Das ganze Team ist großartig. Ich meine, ihr Jungs habt ja jede Menge Spiele gewonnen, sogar gegen eure Erzrivalen, die Trojans.“

„Die machen wir in dieser Saison zu Hackfleisch, da kannst du drauf wetten!“

Todd hatte wirklich eine hohe Meinung von sich selbst und seinem Team, doch vielleicht war er auch nervös und wollte nur die Konversation weiterführen. Diesen Vertrauensvorschuss musste sie ihm gewähren.

„Das würde ich gern sehen“, sagte Julie, obwohl sie noch nie sehr erpicht darauf gewesen war, Football-Spiele anzusehen. Tatsächlich fand sie diese langweilig, doch es schien, als wären alle coolen Typen Mitglieder des Teams. Oder vielleicht schienen sie nur cool zu sein, weil sie so unnahbar waren.

Todd deutete plötzlich zu ihrer Hand. „Du hast nichts zu trinken.“

„Ähm –“

“Ich hole dir ein Getränk. Bowle?“, fragte er.

„Das klingt gut.“

„Hier, halte mal einstweilen mein Bier.“ Er drückte ihr sein Bier in die Hand und wandte sich um.

Sie beobachtete ihn, oder eher gesagt seinen breiten Rücken, als er einen frischen Becher nahm und Bowle hinein schöpfte. Tja, vielleicht war diese Party doch nicht so schlecht.

10

Carter raste in das Fraternity-Haus auf der Gayley Avenue. Es war laut, gerammelt voll und roch nach Alkohol und Marihuana. Er kannte den Geruch von Marihuana sehr gut. Dieser erinnerte ihn an Arztbesuche. Im Jahr 2085 wurde Marihuana nicht mehr als Freizeitdroge benutzt. Dazu war es zu wertvoll. Stattdessen waren mehr als drei Dutzend verschiedene Medikamente aus der vielseitigen Pflanze entwickelt worden und noch mehr waren gerade in der Forschungs- und Entwicklungsphase. Er konnte nicht verstehen, warum Marihuana in vielen Ländern einschließlich vieler Staaten in den USA immer noch eine illegale Droge war. Für ihn war es genauso, als würde ein Aspirin als illegal angesehen.

Niemand im Haus schenkte ihm einen zweiten Blick. Das war auch gut so. Er bahnte sich einen Weg durch die Diele in das übervolle Wohnzimmer und suchte verzweifelt nach Julie. Was er zu ihr sagen würde, wusste er nicht. Was zählte, war, sie von hier wegzuholen. Es war ihm egal, ob sie dachte, er sei ein Idiot oder ein betrunkener Trottel.

Er wünschte sich, er könnte sein Holocom benutzen, um schnell den Raum zu durchsuchen. Das wäre effizienter gewesen, doch er konnte sein Spielzeug aus der Zukunft nicht offenbaren. Fuck! Er schwitzte bereits, nicht weil er gelaufen war, sondern weil er sich um Julies Sicherheit sorgte.

Sie befand sich nicht im Wohnzimmer. Er drückte sich durch die Menge und trat in einen zweiten Raum. Er erblickte die Bar, die die Studenten aufgebaut hatten. Dort entdeckte er Todd Stirling. Er erkannte ihn von dem Foto im Polizeibericht. Er war groß, breitschultrig und gut aussehend. War ja zu erwarten.

Todd schöpfte eine rötliche Flüssigkeit in einen Becher, dann legte er den Schöpflöffel zurück in die große Glasschale, bevor er in seine vordere Hosentasche griff und ein kleines Tütchen halbwegs herauszog. Er entnahm ihm eine kleine weiße Tablette und ließ sie in das Getränk fallen. Einen Moment später wandte er sich um. Dabei wurde Julie, die nur ein paar Meter hinter ihm stand, sichtbar. Sie hielt einen Becher in der Hand.

Carter drückte sich durch die Leute, die sich um die Bar scharten, und es war ihm egal, ob er damit irgendjemanden verärgerte. Todd hatte Julie bereits erreicht und reichte ihr nun den Drink mit dem Roofie, während er den anderen Becher von ihr entgegennahm.

Todd hob seinen Becher und stieß mit Julie an.

Eine Sekunde später erreichte Carter die beiden. Er schnappte sich Julies Drink und goss die Flüssigkeit in Todds Gesicht, bevor einer der beiden überhaupt reagieren konnte.

Julie schnappte schockiert nach Luft,

während Todd mit nach den Seiten ausgestreckten Armen einen Schritt nach hinten sprang, um – ohne Erfolg – zu vermeiden, mit dem Getränk überschüttet zu werden. Dabei hatte er offensichtlich das Bier in seiner Hand vergessen und verschüttete dieses nun über ein Mädchen, das einen Meter rechts von ihm stand.

„Verdammtes Arschloch!“, schrie Todd Carter an. „Du legst dich mit dem Falschen an.“

„Scheißkerl!“, fluchte das Mädchen, über das Todd sein Bier verschüttet hatte.

„Sag das doch ihm!”, knurrte Todd zurück und zeigte auf Carter. „Dieses Arschloch hat angefangen! Was zum Teufel ist dein Problem, Mann?“ Er stieß seinen Finger in Carters Brust.

Doch Carter wich nicht zurück. Stattdessen rückte er ihm auf die Pelle. „Mein Problem ist, dass du ein Roofie in das Getränk gegeben hast.“ Er deutete zu Julie. „Du hast versucht, ihr eine Droge unterzujubeln.“

In Todds Augen leuchtete ein Funke von Angst auf, doch dieser verschwand so schnell wieder, wie er gekommen war.

Julies Kinnlade fiel herab. Sie starrte zuerst Carter und dann Todd an, während sich Entsetzen auf ihrem Gesicht ausbreitete.

„Das ist eine verdammte Lüge!“, behauptete Todd mit lauter Stimme, sodass ihn jeder im Raum hören konnte. „Ich habe nichts dergleichen getan. Du bist hier der Unruhestifter, der die Party crasht. Meine Kumpels und ich werden dir den Arsch eintreten und dich hinauswerfen!“

Plötzlich war es ziemlich ruhig im Raum geworden und alle starrten Todd und Carter an. Nur die Leute im Wohnzimmer hatten keine Ahnung, was vor sich ging, und die Musik dröhnte dort weiterhin.

Carter sah Julie an. „Er hat ein Roofie in dein Getränk gegeben. Ich kann es beweisen. Er hat ein kleines Plastiktütchen mit noch mehr Tabletten in der linken vorderen Tasche seiner Jeans.“

„Das stimmt nicht! Das ist eine verdammte Lüge! Verschwinde von hier! Du gehörst nicht hierher. Niemand hat dich eingeladen!“

Obwohl das zwar wahr war, rührte Carter sich nicht. „Wenn ich so ein verdammter

Lügner bin, warum entleerst du dann nicht deine Hosentaschen und zeigst jedem, was du versteckst?“

Mittlerweile hatten alle in der Bar aufgehört, sich zu unterhalten, und beobachteten die Auseinandersetzung.

„Das hier ist mein Haus. Du kannst mir nicht vorschreiben, was ich hier tue. Ich leere meine Hosentaschen nicht aus.“

Julie kam näher. „Du musst deine Hosentaschen auch nicht ausleeren.“

„Siehst du?“, sagte Todd und deutete auf Julie. „Julie glaubt mir.“

Doch Julie schüttelte den Kopf. „Das habe ich nicht gesagt. Ich habe nur gesagt, dass du deine Hosentaschen nicht entleeren musst.“ Sie streckte ihre Hand nach Todds Brusttasche aus. „Denn du trägst das Beweisstück auf deinem Hemd.“

Carters Blick folgte ihrer Hand, als sie eine halb-aufgelöste weiße Tablette aus der oberen Ecke von Todds Brusttasche nahm, wo diese sich verfangen hatte, als Carter das Getränk in sein Gesicht geschüttet hatte.

Julies Lippen bebten, doch weder schrie

sie noch weinte sie. Empörtes Keuchen kam nun aus der Menge.

„Du bist der verabscheuungswürdigste Mensch, der mir je begegnet ist“, sagte Julie und schob die Überreste der Tablette mit ihrer linken Hand in Todds Mund. Dann hakte sie mit ihrer rechten Faust nach.

Todds Kopf schnappte zurück. Das hatte er nicht kommen sehen. Genauso wenig wie Carter. Julie hatte Mumm. Das gefiel ihm.

„Ich glaube, ich habe jetzt genug von dieser Party“, sagte Julie.

„Bist du mit jemandem gekommen, der dich nach Hause begleiten kann?“, fragte Carter.

Julie sah sich um. „Meine Mitbewohnerinnen.“

Carter nahm sie am Ellbogen und führte sie aus dem Raum. „Lass sie uns suchen.“

Im Wohnzimmer ging die Party ohne Unterbrechung weiter. Niemand hatte den Vorfall in der Bar bemerkt. Doch Carter bezweifelte nicht, dass in den nächsten fünfzehn Minuten die ganze Universität wissen würde, was sich abgespielt hatte. Er wollte

Julie von hier hinausschleusen, bevor das geschah.

Julie wandte sich ihm zu. „Danke. Ich weiß gar nicht, was ich sagen soll. Wenn du nicht da gewesen wärst und ihn gesehen hättest ... Ich weiß nicht, was alles hätte geschehen können."

Carter wusste es, doch das würde er ihr nicht sagen. Sie brauchte nicht noch mehr Trauma. „Ich war froh, dass ich zur richtigen Zeit da war."

„Ich bin Julie."

Sie bot ihm ihre Hand an und er schüttelte sie.

„Ich heiße Carter."

Sie lächelte ihn nun an. „Danke, Carter." Dann sah sie sich im Raum um. „Weißt du, es sieht so aus, als hätten meine Mitbewohnerinnen zu viel Spaß. Ich gehe einfach alleine nach Hause. Es ist nicht weit."

Sie ging schon zur Diele und Carter ging mit ihr mit.

„Ich möchte nicht, dass du alleine gehst", sagte er. „Lass mich dich bis zu deiner Haustür bringen, nur für den Fall, dass dieses Arschloch und seine Kumpels dir folgen."

Sie sah ihn einen Moment lang an und überdachte das Angebot. Sah sie ihn als eine Gefahr an? Er war ein Mann. Er war ein Fremder. Warum sollte sie ihm vertrauen?

„Willst du nicht auf der Party bleiben?“

Er schüttelte den Kopf. Er war nur hierhergekommen, um sie zu retten. Aber das konnte er ihr auch nicht gestehen.

„Es wäre nett, wenn du mich nach Hause begleiten könntest. Da würde ich mich wohler fühlen.“

Er lächelte und sie verließen das Haus.

11

Draußen konnte Julie endlich zugeben, dass ihre rechte Hand wehtat. Sie stöhnte und schüttelte sie, als könnte sie den Schmerz abschütteln.

„Verdammt, das tat weh."

„Lass mich mal sehen", sagte Carter und griff nach ihrer Hand.

Sie ließ es zu. Seine Berührung war sanft und vorsichtig, seine Hand warm und tröstend. Doch was noch wichtiger war – sie mochte es. Sie vertraute ihm, obwohl sie nicht wusste, warum. War es, weil er sie vor einer etwaigen lebensverändernden Situation gerettet hatte?

Und es wäre lebensverändernd gewesen, denn es gab nur einen einzigen Grund, warum ein Mann einer Frau eine Droge unterjubelte. Doch daran wollte sie im Moment nicht denken. Carter hatte eingegriffen und sie war ihm dankbar dafür.

„Sieht nicht so aus, als wäre was gebrochen“, sagte Carter. „Aber ich weiß, wie weh es tut, jemandem eine zu verpassen. Vielleicht solltest du etwas Eis drauflegen.“

„Es hat sich gut angefühlt.“

Er lachte. „Ihm eine zu verpassen? Das hätte ich selber gerne getan. Aber hey, *Ladies First*!“

Julie sah ihren Retter an. Carter war der typische Herzensbrecher: groß und breitschultrig, kurzes schwarzes Haar, ein klassisches Gesicht und durchdringende grüne Augen. Ihr hatten grüne Augen an einem Mann schon immer gefallen. Dass sie sich zu ihm hingezogen fühlte, war eine Untertreibung. Normalerweise, wenn sie sich zu einem Mann hingezogen fühlte, war sie ganz nervös und zerstreut. Nicht bei Carter. Mit ihm fühlte sie sich wohl. Obwohl er so aussah, als wäre er im

3. oder 4. Studienjahr, gab er sich viel erwachsener als ein gewöhnlicher Student. Im Übrigen schien nichts an ihm gewöhnlich zu sein.

„Ich musste ihm eine verpassen“, sagte sie in die kurze Stille hinein.

Carter nickte und sie sah in seinen Augen, dass er sie verstand. „Es war den Schmerz in der Hand wert, nicht wahr?“

„Absolut wert.”

Julie deutete in die Richtung, wo ihr Haus lag, und sie gingen los.

„Ich habe dich noch nie auf dem Universitätsgelände gesehen“, sagte Julie. Er wäre ihr bestimmt aufgefallen.

„Ich bin gerade erst angekommen. Du studierst hier an der UCLA, oder?“ Als sie nickte, fügte er hinzu: „Was studierst du?“

Wollte er das wirklich wissen oder machte er nur einen auf Unterhaltung wie Todd? Oh Gott, wie war sie in so kurzer Zeit so zynisch geworden? Es war nicht fair, Carter mit Todd zu vergleichen.

„Ingenieurwesen.“

„Welche Spezialisierung?“

Sie hob ihre Augenbrauen. “Nanotechnologie.“

„Das ist ein tolles Gebiet. Es wird die Welt verändern. Alles läuft am Ende darauf hinaus, die Nanotechnologie zu verbessern und die Forschung voranzutreiben. Das hat eine gute Zukunft. Eine fantastische Zukunft, du wirst schon sehen.“

Sie warf ihm einen Seitenblick zu und er erwiderte den Blick. „Du klingst so zuversichtlich. Studierst du das auch?“

Er lachte und schüttelte den Kopf. „Nur die klügsten Köpfe arbeiten in der Nanotechnologie. Dafür sind meine Noten nicht gut genug.“

Zu hören, dass er zugab, dass sie klüger war als er, war erfrischend. Die meisten Männer würden das nie zugeben. Oder gab er nur vor, bescheiden zu sein?

„Und was studierst du?“

„Das ist ein bisschen schwierig zu erklären“, sagte Carter. „Ähm ...“

„Warum?“

Er seufzte. „Weil ich nicht an der UCLA bin.“

„Oh, legst du ein Pausenjahr ein? Ich wünschte, ich könnte das tun, aber ich muss mich wirklich reinhängen und so schnell wie möglich meinen Bachelor machen, dann meinen Master, und vielleicht noch einen PhD …“ Sie zuckte mit den Schultern. Klang sie wie eine totale Streberin?

„Das bewundere ich. Du hast tolle Ziele.“

„Du musst doch auch Ziele haben“, meinte sie.

Sie hatte noch nie einen Kerl getroffen, der nicht endlos von sich selbst sprach, sobald er die Gelegenheit dazu bekam. Carter schien anders zu sein, viel reservierter.

„Ich habe Ziele, ja. Aber sie sind nicht wie deine. Ich will nur meiner Familie helfen. Manchmal bedeutet das, dass man Opfer bringen muss. Oder was man als ein Opfer ansieht. Manchmal stellt sich heraus, dass das, was für die Familie gut ist, auch gut für einen selbst ist.“

Dies war ein viel intimeres Geständnis, als sie von einem Kerl wie Carter erwartet hatte. Sie vermutete, dass seine Familie nicht das Geld hatte, ihn auf eine gute Universität wie die UCLA zu schicken. Sie wollte nicht, dass ihm das peinlich war, also fragte sie nicht weiter nach. In einer Hinsicht hatte sie Glück gehabt: Ihre Mutter hatte ihr eine kleine Lebensversicherung hinterlassen, die es Julie ermöglichte, ihr Studium fortzusetzen, ohne in Studentenkrediten unterzugehen.

„Alles im Leben sollte so sein, oder? Dass man etwas Gutes tun will, das gut für alle ist“, sagte Julie. „Ich hoffe, dass ich, wenn ich mit dem Studium fertig bin, all mein Können zum Guten der Gemeinschaft verwenden kann und vielleicht irgendetwas erfinde, das Krankheiten und Leiden ausmerzt. Damit es auch einen Sinn hat.“

„Das wirst du, Julie. Du wirst etwas Großartiges mit deinem Leben anfangen. Egal was es ist. Selbst wenn es nicht so wird, wie du es dir vorgestellt hast.“

Sie bemerkte, dass sie am Haus angekommen waren, und bedeutete ihm, mit ihr zur Haustür zu gehen.

„Wir sind da. Hier wohne ich.“

„Sieht nett aus.“

Sie standen vor der Tür nur einen Meter

voneinander entfernt. Das Licht über der Tür funktionierte nicht, doch Mondlicht fiel auf Carters Gesicht. Er machte keinen Versuch, sich zu nähern. Er hatte getan, was er versprochen hatte: sie nach Hause zu begleiten. Konnte sie noch etwas anderes erwarten? Nein. Doch das hinderte sie nicht, auf etwas anderes zu hoffen, obwohl sie nicht wusste, wie sie das anfangen sollte.

Ein paar Sekunden herrschte Stille zwischen ihnen.

Julie suchte nach den richtigen Worten.

„Glaubst du, ich könnte …“, sagte er zögernd.

„… reinkommen?“

„… dich morgen wiedersehen?“, beendete er seinen Satz und überlappte damit ihre Einladung.

Ganz nervös, dass sie ihn falsch gedeutet hatte, fühlte Julie, wie ihre Wangen sich röteten. „Ich meine …“

“Ja, ich würde gerne reinkommen“, sagte Carter.

„… morgen klingt gut“, sagte sie über seine Worte.

Sie lachten beide.

„Okay, du zuerst“, sagte Carter jetzt und grinste.

„Möchtest du reinkommen?“

„Wenn du das willst. Du musst mich nicht hineinbitten, weißt du.“

„Ich möchte es aber. Das heißt, wenn du das möchtest. Ich will nicht, dass du denkst, du musst dich jetzt um mich kümmern, weil du mich gerettet hast. Ich meine, du kennst mich ja nicht … und vermutlich hast du ja eine Freundin.“

Carter machte einen Schritt auf sie zu und legte seine Finger unter ihr Kinn, um ihren Kopf anzuheben, sodass sie ihm in die Augen sehen musste. „Ich habe keine Freundin. Und ich möchte gerne mehr Zeit mit dir verbringen. Aber vielleicht bist du für das nicht bereit. Nicht nach dem, was heute Abend geschehen ist. Ich bin nicht wie der Typ. Ich dränge keine Frau, was zu tun, das sie nicht will, oder zumindest *noch nicht* will.“

Seine Worte gaben ihr mehr Selbstvertrauen, als sie je gehabt hatte. Sie nahm seine Hand und drehte ihr Gesicht, um einen Kuss in seine Handfläche zu drücken. Dann überbrückte sie die übrige Entfernung zwischen ihnen. „Es fühlt sich richtig an, mit dir zusammen zu sein. Mit dir fühle ich mich gut.“

Langsam, um ihr Zeit zu geben, einen Rückzieher zu machen, senkte Carter seinen Kopf und legte seinen Mund auf ihren. Seine warmen Lippen waren zuerst sanft und zögernd, dann fester. Er roch gut. Alles war plötzlich richtig. Sie wusste jetzt, warum sie so lange gewartet hatte, warum sie zuvor nie mit jemandem schlafen wollte. Nicht aus religiösen oder moralischen Gründen, wie die anderen Studenten vermuteten, sondern weil sie diese Erfahrung mit dem richtigen Mann teilen wollte.

Und Carter war der richtige, der Fremde, der sie gerettet hatte.

Sie legte ihre Hand auf seinen Nacken und teilte ihre Lippen, um ihm zu zeigen, dass sie für den Kuss, und noch für viel mehr, bereit war.

12

Carter hatte diese Wende der Ereignisse nicht erwartet, nicht nach dem, was bei der Fraternity-Party vorgefallen war. Julie sollte im Moment jedem Mann mit Vorsicht entgegentreten, vor allem einem Fremden. Trotzdem war sie immer noch vertrauensvoll.

Er hatte sie nicht angelogen: Er wollte seiner Familie helfen, deren Gene weitertragen, nicht nur für sie, sondern für das Gemeinwohl. Doch das Opfer, das er erwartet hatte im Namen der Menschheit zu bringen, stellte sich gar nicht als Opfer heraus. Er mochte Julie. Sie war klug, lieb und natürlich.

Und sich offensichtlich absolut nicht bewusst, was für eine Wirkung sie auf ihn hatte.

Für ihn war das ebenfalls eine Überraschung. Schließlich war Julie Jungfrau und unerfahren, doch ihr einladender Kuss sandte Hitze durch seine Adern und führte ihn in Versuchung, sie an die Tür zu drücken und gleich hier mit ihr Liebe zu machen.

Fuck, schalt er sich, *mach langsam. So behandelt man keine Jungfrau. Jedenfalls nicht, wenn du willst, dass sie dich nochmals einlädt.*

Julies Lippen schmeckten süß und die Art, wie sie ihren Körper an seinen presste, war verführerischer als jegliche Tricks einer erfahrenen Frau. Erfahrung bedeutete nichts. Wahres Verlangen, selbst wenn es nicht mit Erfahrung gekoppelt war, war ein größerer Turn-on als jeglicher geübter Schoßtanz, Striptease oder jede andere Verführung.

Julie stöhnte sanft in seinen Mund und er verstärkte den Kuss, während er spürte, wie die Jungfrau in seinen Armen erwachte und sich in eine Frau mit Verlangen und Lust verwandelte. Er war froh, dass er derjenige war, der diese

Lust für sie stillen würde – wenn er es nur schaffte, sein eigenes Verlangen lange genug zu unterdrücken, bis er ihr zeigen konnte, dass ihr Vergnügen wichtig war. Dass sie wichtiger war, als sie wissen konnte.

Carter riss seinen Mund von Julies, doch hielt er sie noch immer in den Armen. Er wollte nicht, dass sie glaubte, er hätte schon genug. Überrascht stellte er fest, dass er atemlos war. Nur von einem Kuss? Er blickte auf ihre Lippen. Sie sahen beinahe geschwollen aus. Unwillkürlich rieb er seinen Daumen darüber.

„War ich zu ungestüm?"

Ihre Wangen waren gerötet. Sie schüttelte den Kopf, brachte ihr Gesicht wieder näher zu seinem und bot ihm erneut ihren Mund an. Doch dieses Mal kam er ihrer Einladung nicht nach.

„Julie, ich glaube, wir sollten die Veranda verlassen, oder die Leute verbreiten das Gerücht, dass dich ein Fremder hier vernascht hat."

Sie kicherte. „Das können wir natürlich nicht zulassen."

„Das Vernaschen?"

Mit einem Schmunzeln sagte sie: „Das Gerücht.“

Sie griff in ihre Handtasche und fand ihren Schlüssel. Doch als sie ihn ins Schloss stecken wollte, ging die Tür auf.

Carter wurde sich sofort bewusst, dass er nicht sichergestellt hatte, die Tür hinter sich zuzuziehen, als er aus dem Haus geeilt war, um Julie zu finden.

Julie warf ihm einen ängstlichen Blick zu. „Ein Einbrecher?“

„Lass mich nachsehen.” Er öffnete die Tür ganz und trat in die Diele. Julie folgte ihm. „Bleib hier. Ich überprüfe alle Zimmer.“

Julie nickte.

Carter ging durch die Zimmer im Erdgeschoss, dem Wohnzimmer, Esszimmer, Vorratsraum, der Gästetoilette und Küche. Wie erwartet, fand er niemanden. Allerdings konnte es möglich sein, dass jemand in das Haus eingedrungen war, nachdem er die Tür offen gelassen hatte, also nahm er seine Aufgabe ernst. Er deutete zur Treppe und teilte so Julie mit, dass er nach oben gehen würde. Eine Durchsuchung der

Schlafzimmer und Bäder im ersten und zweiten Stock offenbarte ebenfalls keinen Eindringling.

Er ging wieder nach unten.

Julie stand in der Diele und hatte eine Dose Pfefferspray in der Hand.

„Das brauchst du nicht“, sagte Carter, froh darüber, dass sie bereit war, sich zu verteidigen. „Das Haus ist leer. Vielleicht hat eine deiner Mitbewohnerinnen vergessen, die Tür abzusperren.“

„Du hast vermutlich recht.” Julie zog die Eingangstür zu und versicherte sich, dass das Schloss einschnappte. „Siehst du, es war eine gute Idee von mir, dich einzuladen reinzukommen.“

Er legte einen Arm um ihre Taille und zog sie an sich. „Also hast du vor, mich nur zu benutzen, wie? Ist das alles, was du von mir willst, dein Leibwächter zu sein?“ Er ließ einen absichtlich gierigen Blick über ihr Dekolleté schweifen. „Es ist nicht der schlimmste Leib, den ich je beschützt habe.“

Sie gab ihm einen spielerischen Klaps und lachte. „Nicht der schlimmste? So schmeichelst du dich also in das Herz eines Mädchens ein."

Carter lachte laut auf und ein breites Lächeln erschien auf Julies Gesicht, ein Lächeln, das bis zu ihren Augen reichte. Er hatte nie mit den Mädchen, mit denen er ausging, so gelacht. Aber mit Julie war es anders. Er hatte das Gefühl, dass er sie kannte, als ob sie schon seit langer Zeit befreundet wären. Trotzdem verringerte das nicht die Erregung, die davon kam, dass sie beide wussten, sie wollten mehr als nur einen Kuss.

„Ich habe noch andere Tricks im Ärmel, die ich dir zeigen kann, wenn du willst", sagte er und ließ seine Hand auf ihren Po gleiten. Bevor sie ihm antworten konnte, fügte er hinzu: „Aber nur, wenn du das willst. Wenn nicht, dann können wir die ganze Nacht nur quatschen. Es ist deine Wahl. Es wird immer deine Wahl sein." Denn so musste es sein. Um eine Chance zu haben, ihr Vertrauen und ihre Zuneigung in weniger als einer Woche zu gewinnen, musste er ihr zuerst vertrauen. Er musste daran glauben, dass sie die richtige Wahl traf.

Sie legte ihren Kopf zur Seite, als dachte sie über etwas nach. „Du bist anders als die anderen Kerle."

„Welche anderen Kerle? Willst du damit sagen, dass ich nicht der erste Kerl bin, den du in dein Zimmer einlädst?"

„Wir sind nicht in meinem Zimmer." Sie zwinkerte ihm zu. „Noch nicht." Dann trat sie zurück und nahm seine Hand.

Er ließ sich von ihr die Treppe hinaufführen in den ersten Stock. Sie öffnete eine Tür und trat in den Raum, noch immer seine Hand haltend.

Automatisch schloss er die Tür hinter sich und zog Julie in seine Arme. Mondlicht strömte durch das Fenster in den Raum, doch ansonsten war es dunkel.

„Wir sollten die Vorhänge zuziehen", schlug Julie vor.

„Damit du mit mir machen kannst, was du willst?", fragte Carter.

„Damit ich das Licht anmachen kann."

Carter wandte sich dem Fenster zu und zog die Vorhänge zu. Julie knipste die Nachttischlampe an. Sie spendete genug

Licht, um ihn alles sehen zu lassen, was er wollte.

Er sah Julie an. Sie sah etwas verloren aus, als hätte sie plötzlich der Mut verlassen. Er ging auf sie zu und tippte ihr Kinn mit seinen Fingern hoch.

„Darf ich dir etwas versprechen?“, fragte er.

„Was willst du mir versprechen?“

„Dass ich mich nicht ausziehen werde. Du wirst diejenige sein, die mich auszieht, aber nur, wenn du das willst. Okay?“

„Aber willst du denn nicht ...“

„Mach dir keine Gedanken darüber, was *ich* will. Kümmere dich nur um das, was *du* willst, was du machen willst. Das ist heute Nacht die erste Regel.“

„Wenn das die erste Regel ist, was ist die zweite?“

„Du wirst entscheiden, ob und wann du dich ausziehst. Wenn du willst, dass ich dir dabei helfe, dann musst du es mir nur sagen.“

„Gut.“ Julie legte ihre Hände auf seine Brust und begann, sein Hemd aufzuknöpfen.

Er nahm ihre Hände gefangen. „Es gibt

keine Eile, Julie. Du musst mir nichts beweisen."

„Ich mache das nicht, um dir etwas zu beweisen. Ich mache es, weil ich dich spüren will. Ich habe lange genug gewartet."

„Wir haben uns doch gerade erst kennengelernt."

Sie seufzte. „Ich weiß nicht, ob du das verstehen wirst, aber ich habe mich immer gefragt, ob ich wissen würde, wann die richtige Zeit ist, oder ob ich einfach Angst habe ... vor ... du weißt schon ..."

„Vor dem Sex?", fragte er mit einem Schmunzeln.

„Ja. Und jetzt weiß ich, dass ich nie davor Angst hatte, meine ... meine Jungfräulichkeit zu verlieren. Aber ich hatte Angst davor, sie an den falschen Kerl zu verlieren." Sie sah ihm in die Augen. „Die Zeit ist richtig. Und du bist der Richtige."

Er hoffte, dass sie das auch noch glaubte, wenn sie erst einmal erfuhr, woher er gekommen war und was seine Aufgabe war. Er wollte ihr die Wahrheit gestehen. Er wollte reinen Tisch machen, doch er wusste, was geschehen würde, wenn er das heute Nacht machte, wo Julie beinahe von Todd unter Drogen gesetzt und vergewaltigt worden wäre. Sie würde ihr Vertrauen in die Männer vollkommen verlieren und ihn aus ihrem Leben ausschließen. Das konnte er nicht geschehen lassen. Er musste ihr zeigen, dass ihm ihre Glückseligkeit wichtig war, selbst wenn das bedeutete, dass er heute Nacht die Wahrheit vor ihr verbergen musste.

„Du willst also, dass ich das Hemd ausziehe", sagte Carter.

„Siehst du, jetzt kapierst du es. Du hast nicht nur ein hübsches Gesicht", witzelte Julie.

Er schüttelte lachend den Kopf. Dann knöpfte er das Hemd vollständig auf und zog es aus, bevor er es in Richtung des Stuhls warf. „Ist es das, was du willst?"

Er bemerkte, wie sie mit zustimmendem Blick auf seine haarlose Brust blickte.

„Kannst du mir mit meinem Kleid helfen?", murmelte sie und plötzlich klang ihre Stimme ganz heiser.

Er griff mit beiden Händen hinter sie und fand den Reißverschluss. Zentimeter für

Zentimeter zog er ihn mit einer Hand nach unten, während er die andere auf ihre Haut gleiten ließ. Er streichelte ihren Rücken.

Julie schloss ihre Augen und seufzte. „Küss mich."

Das musste sie ihm nicht zweimal sagen. Carter legte seinen Mund über ihren und küsste sie. Julie schlang nicht sofort ihre Arme um ihn. Stattdessen streifte sie die Träger ihres Kleides von ihren Schultern und ließ das Kleid ihren Körper entlang zu Boden fallen, wo es einen Kreis um ihre Füße machte. Dann kickte sie ihre Stöckelschuhe weg.

Er unterbrach den Kuss, um sie anzusehen. Sie trug einen weißen BH und ein Höschen. Genau das Richtige für eine Jungfrau. Und viel sexyer als jegliche Stripperin.

„Oh Gott, bist du schön", flüsterte er an ihren Lippen und hob sie in seine Arme.

Er trug sie zum Bett und legte sie auf die Bettdecke, dann zog er seine Schuhe aus. Er legte sich neben sie und zog sie wieder in seine Arme. Sie schmiegte ihren Körper an seinen und legte ihre Lippen auf seine, um ihn einzuladen. Er drang mit der Zunge in ihren

Mund und erforschte sie. Sie war nicht scheu, sondern kam ihm mit gleicher Leidenschaft entgegen.

Sie legte eine Hand auf seinen Nacken und streichelte ihn dort. Bei der zärtlichen Berührung durchfuhr ihn ein Schauder und er stöhnte. Er war froh, dass er noch seine Hose trug, damit er sich nicht einfach über sie rollte und in ihr vergrub. Er war bereits steinhart und klammerte sich mit allem, was er hatte, an seine Beherrschung.

Langsam und sanft begann er, Julies Körper zu erforschen. Ihre Haut war weich. Sie war keine kurvige Frau mit großen Brüsten, sondern eher sportlich mit feineren Kurven an den richtigen Stellen. Er ließ eine Hand entlang einer Seite ihres Oberkörpers hinaufgleiten und spürte sie unter seiner Berührung erbeben. Sie stöhnte in seinen Mund und bestätigte somit, dass seine Liebkosungen willkommen waren.

Als seine Finger den Saum ihres BHs berührten, spürte er, wie sie einen tiefen Atemzug nahm. Langsam, um ihr die Möglichkeit zu geben, seine Hand wegzuschubsen, fing er an, ihre Brust durch den dünnen Stoff zu streicheln. Er rieb seinen Daumen über ihren Nippel und entlockte ihr damit ein langgezogenes Stöhnen. Er wiederholte seine Handlung, dann legte er seine Handfläche auf ihre Brust. Julie bäumte sich ihm entgegen und drückte ihre Brust in seine Hand, um mehr zu fordern. Er drückte sie, zuerst sanft, dann fester.

Julie wich nicht zurück und stoppte ihn nicht. Stattdessen glitt die Hand, die auf seinem Nacken gelegen war, nun zu seinem Jeans-bekleideten Hintern. Selbst durch den dicken Stoff verspürte Carter, wie sie ihre Fingernägel in ihn krallte, um seinen Unterleib fester an sich zu drücken. Das verstärkte nur seinen Drang, mit ihr Liebe zu machen, doch er durfte sich noch nicht ausziehen, sonst wäre es viel zu schnell vorbei.

Er nahm seine Lippen von ihren. „Ich möchte deine Haut berühren." Er drückte ihre Brust nochmals, um ihr zu zeigen, wo genau er sie ohne eine Barriere berühren wollte.

„Dann mach meinen BH auf und nimm ihn mir ab", lud sie ihn ein.

Er fummelte vorne herum, doch konnte er den Verschluss nicht finden.

„Der Verschluss ist hinten“, flüsterte sie.

„Tut mir leid“, sagte er. „Ich hab da nicht viel Übung.“ Das war auch wahr. Trotzdem fühlte er sich wie ein Idiot, dass er nicht wusste, dass die BHs im Jahr 2025 hinten geöffnet und geschlossen wurden. Bis zum Jahr 2085 hatten BH-Hersteller, die nur von weiblichen Designern geleitet wurden, den BH vollkommen überarbeitet und wesentlich bequemer und praktischer gemacht.

Nichtsdestotrotz lernte er schnell. Sekunden später hatte er Julie von ihrem BH befreit und blickte auf die liebliche Ansicht. Ihre Brüste waren fest und schön, obwohl sie klein waren.

Carter senkte seinen Kopf, erpicht darauf, diese festen Nippel zu kosten. Als er seine Lippen um eine harte Knospe legte und diese in seinen Mund zog, keuchte Julie. Er wich sofort zurück, besorgt, dass sie seine Handlung nicht mochte, als er ihre Hand auf seinem Hinterkopf spürte und Julie ihn wieder zurück zu ihrer Brust führte.

„Bitte“, murmelte sie mit einer mit Begierde getränkten Stimme, „hör nicht auf.“

Julie war trotz ihrer Unerfahrenheit empfänglich. Sie hatte die richtigen Instinkte und ihre Begierde kam seiner gleich. Carter hatte dies nicht erwartet, als Dr. Mandell ihm mitgeteilt hatte, dass ihm eine Jungfrau zugeteilt worden war.

Er hatte gedacht, dass das Computerprogramm, dem alle Informationen – inklusive etwaiger verfügbarer DNA der Frauen, die während der 2025er Pandemie gestorben waren, sowie die der Romeos – eingespeist wurden, versagt hatte.

Doch Carter hatte die Wissenschaftler, die das Softwareprogramm entwickelt hatten, unterschätzt. Sie hatten den Romeos versprochen, dass jeder mit der Frau gepaart werden würde, mit der sie das beste biologische, physische und psychologische Paar formen würden. Das Programm garantierte somit praktisch, dass die Anziehung gegenseitig war.

„Ich habe noch nicht einmal angefangen“, sagte Carter an Julies weicher Haut.

13

Julie spürte die kühlen Laken unter sich und Carters heißen Atem auf ihrem Busen. Er schien nicht in Eile zu sein, sondern überhäufte sie mit Zärtlichkeit und grenzenloser Geduld, wobei er instinktiv lernte, was sie mochte, und wie er sie dazu brachte, noch mehr zu wollen. Nie hätte sie erwartet, dass sie sich wie eine echte Göttin fühlen würde, nur weil sie mit einem Mann intim war, und dass dieser Mann gekommen war, um sie an ihrem Altar zu verehren. Carter behandelte sie wie einen Schatz, den er Zentimeter um Zentimeter offenbarte.

Die wenigen Male, als sie einen Kerl geküsst hatte, hatten damit geendet, dass er versucht hatte, sie auszuziehen, auch wenn sie noch nicht dazu bereit war. Diese Jungs hatten ihre Hände stets an Stellen gelegt, wo sie nicht willkommen waren. Sie hatte immer das Gefühl gehabt, dass es ihnen egal war, wer sie war oder was sie wollte, so lange sie ... na ja, so lange sie sie flachlegen konnten. Und das hatte sie abgeschreckt und deshalb hatte sie sie immer weggestoßen und jegliche weiteren Dates abgelehnt.

Carter schien nicht in Eile zu sein, seine eigene Befriedigung zu suchen. Trotzdem hörte sie ihn stöhnen, als er ihre Brüste leckte und küsste, als genösse er es so sehr wie sie. Er war sanft, seine Hände und sein Mund streichelten sie ohne Hintergedanken, ohne darauf erpicht zu sein, in sie einzudringen. Das überraschte sie, denn sie konnte die harte Beule in seiner Hose nicht ignorieren. Er war erregt. Und sie mochte, wie er sich anfühlte, mochte, wie er seine Erektion an sie drückte. Sie rieb sich an ihm und ihr gefiel, wie Carter reagierte: mit einem kaum unterdrückten

Stöhnen, das Wellen über ihre Brüste sandte und ihre empfindlichen Nippel noch härter machte.

Sie verspürte den überwältigenden Drang, Carter erneut ein Stöhnen zu entlocken, also rieb sie ihren Unterleib rhythmisch an seinen. Sie konnte spüren, wie feucht ihr Slip schon war, ein Signal ihres Körpers, das ihr zeigte, was sie wollte und was sie brauchte.

Carter hob seinen Kopf von ihren Brüsten und seine grünen Augen schimmerten in all seinen Facetten. „Verdammt, Julie“, flüsterte er mit heiserer Stimme, „du bist so verdammt heiß.“

„Du machst mich heiß.” Sie legte ihre Hand über die Vorderseite seiner Hose, doch er nahm diese gefangen und hinderte sie daran, den Knopf zu öffnen.

„Wie wär’s, wenn wir mit dir anfangen?“ Er ließ von ihrer Hand ab und fuhr mit einem Finger entlang ihres Höschenbundes.

Ihr Atem stockte vor Vorfreude. „Warum zeigst du mir nicht, was du im Sinn hast?“

Carter sah ihr in die Augen, während er seine Hand unter den Stoff schob. Julie befeuchtete ihre Lippen, dann spürte sie einen langen Finger zu ihrem Zentrum hinuntergleiten, dorthin, wo sich Feuchtigkeit ausgebreitet hatte. Als er ihre Klitoris leicht berührte, schoss ein Pfeil der Erregung durch ihren Körper und sie keuchte.

Carter lächelte. „Ah, das ist es. Perfekt. Absolut perfekt.“ Er nahm ihre Lippen gefangen und erforschte ihren Mund jetzt noch fordernder mit seiner Zunge, während er ihren Lustknopf mit seinen Fingern streichelte. Zuerst sammelte er etwas von der Feuchtigkeit von ihren Schamlippen, dann verteilte er diese auf ihrer Klitoris.

Sie konnte ihr Stöhnen nicht mehr unterdrücken und ergab sich seiner Berührung. Sie brauchte dies, wollte dies. Ungeduldig zerrte sie an ihrem Höschen und schob es so weit hinunter, wie sie konnte. Endlich half Carter ihr, es ganz abzulegen, und sie konnte sich weiter für ihn öffnen, damit er sie mit seinen erfahrenen Fingern streicheln konnte.

„Oh Gott, bitte, ja ...”

Es war ihr egal, dass sie so lüstern klang. Wichtig war nur, dass Carter sie berührte, ihr

Vergnügen bereitete und ihr zeigte, was es bedeutete, eine Frau zu sein. Ihre Hüften bewegten sich im Einklang mit seinen Liebkosungen und drängten ihn, sein Tempo zu erhöhen.

Er nahm seine Lippen von ihren. „Ich hab dich, Baby. Ich kümmere mich um dich."

Seine beschwichtigenden Worte führten dazu, ihn noch mehr zu begehren. „Ich möchte dich spüren."

„Das wirst du auch", versprach er. „Aber zuerst will ich, dass du vor Vergnügen erschauderst, denn wenn ich erst einmal in dir bin, dann werde ich es bestimmt nicht lange durchhalten." Er streifte seine Lippen über ihre. „Du bist zu sexy. Und ich liebe es, dich zu berühren. So wie du darauf reagierst, das macht mich an."

Sie bekam keine Gelegenheit, ihm zu antworten, denn er küsste sie wieder und seine Finger wirkten wie Magie auf sie. Mit jeder Liebkosung, jeder Berührung stieg ihre Erregung und ihr Körper schien von alleine zu reagieren. Sie bewegte sich im Einklang mit

Carters Liebkosungen und zwang ihn, ihre Klitoris kraftvoller zu streicheln.

Ganz plötzlich konnte sie nicht mehr atmen. Ihr Herz raste und Wellen durchfuhren sie. Eine prallte an die nächste, als sie zum Höhepunkt kam. Carters Finger ruhten nun auf ihrer Klitoris, damit sie ihren Orgasmus auskosten konnte.

Sie stieß einen langen Atemzug aus und sah ihn an.

Er schenkte ihr ein warmes Lächeln. „Fühlst du dich okay?"

Julie legte ihre Hand auf seinen Nacken, um sein Gesicht zu ihrem zu ziehen. „Musst du das wirklich fragen?"

Carter schüttelte den Kopf. "Ich konnte spüren, wie du vor Vergnügen erbebt bist."

Sie seufzte befriedigt. „Ich bin froh, dass ich zu der Party gegangen bin, sonst wäre ich dir nie begegnet." Sie legte ihre Lippen auf seine und küsste ihn, bevor sie wieder von ihm abließ. „Kannst du mir jetzt bitte einen Gefallen tun?"

Er lächelte. „Ich hoffe, jetzt kommt nicht der Teil, wo du mich rausschmeißt."

Sie kicherte. „Du kommst in nächster Zeit nicht von hier weg."

„Gut. Also, was für ein Gefallen ist es?"

„Zieh deine Hose aus und mach Liebe mit mir."

„Also hast du für heute Nacht noch nicht genug?", fragte er mit einem Schmunzeln.

„Ich habe gerade erst angefangen", erwiderte Julie und benutzte Carters Worte von zuvor.

14

Carter stand auf und entledigte sich seiner Jeans und der Unterwäsche darunter. Als er sich wieder Julie zuwandte, fiel deren Blick auf seinen Schwanz. Ihre Augen weiteten sich und sie sog einen Atemzug ein.

Ihrem Blick nach zu urteilen vermutete Carter, dass Julie nicht nur Jungfrau war, sondern auch noch nie eine echte Erektion gesehen hatte. Er hoffte, dass sie nicht in letzter Minute ihre Meinung änderte, denn er war mittlerweile so hart, dass es beinahe schmerzte. Keine Erfüllung in Julies heißem

Körper zu finden, würde eine riesige Enttäuschung sein. Und ein Versagen seinerseits. Doch wenn sie für seinen Schwanz noch nicht bereit war, dann war er bereit, mit seinem Mund und seinen Händen so lange weiterzumachen, bis sie so weit war.

Er ließ seinen Blick mit Julies verschmelzen, dann legte er seine Hand um seine Erektion und zog daran. Julies Lippen teilten sich und sie leckte sie.

Er setzte ein Knie auf das Bett, um sich zu ihr zu gesellen.

„Julie, ich habe gerade gehört, was auf der Party geschah. Bist du o–"

Das Öffnen einer Tür begleitete die Stimme, die abrupt verstummte.

Unwillkürlich blockierte Carter die Sicht auf Julies Körper und sah über seine Schulter. Bei der Tür stand eine junge schwarze Frau, die etwa so alt wie Julie war.

„Tonia!" Julie kreischte und versuchte, die Bettdecke über sich zu ziehen.

Tonia hatte genug Anstand, sofort herumzuwirbeln, sodass sie jetzt in den Gang hinaussah. „Sorry, tut mir so leid. Ich wollte nur nachschauen, ob es dir gut geht … Offensichtlich ist … Sorry, nochmals sorry.“ Sie entfloh dem Raum und zog die Tür hinter sich zu, ohne zurückzuschauen.

Carter sah Julie an.

„Oh mein Gott!“, murmelte sie beschämt. „Sie wird jedem erzählen, dass ich … dass wir …“

Ihr ganzer Körper schien sich zu röten.

Carter nahm die Unterbrechung gelassen hin und zuckte mit den Schultern. „Auch gut. Dann wird zumindest niemand mehr hier hereinplatzen.“ Er ließ sich auf die Laken neben ihr sinken und zog sie in seine Arme. „Wo waren wir?“ Er strich leicht mit seinen Lippen über ihre. „Jetzt erinnere ich mich. Ich war gerade dabei, mit dir Liebe zu machen … sofern du das noch willst.“

Sie legte ihre Hand auf seinen Nacken. „Das will ich.“

Bei der Einladung rollte Carter sich über sie, stützte sich auf seinen Knien und Ellbogen ab und drückte Julies Schenkel auseinander. Er richtete sich aus, bereit in sie einzudringen, als sie eine Hand auf seine Brust legte und ihn stoppte.

„Kondom“, sagte sie.

Er erinnerte sich sofort an die Lesungen, an denen er als Teil seines einwöchigen Intensivtrainings teilgenommen hatte.

Im Jahr 2025 waren Geschlechtskrankheiten auf der ganzen Welt noch weit verbreitet und ungewollte Schwangerschaften waren ein Problem. Im Jahr 2051 waren AIDS und alle anderen Geschlechtskrankheiten geheilt worden. Gesundheitsvorsorge war auf der ganzen Welt kostenlos, denn die politischen Führer der Welt hatten erkannt, dass gesunde Arbeitskräfte produktive Arbeitskräfte waren. Und bis Mitte der 2070er gab es auch keine ungewollten Schwangerschaften mehr. Sollte eine unverheiratete junge Frau wirklich schwanger werden und wollte oder konnte das Kind nicht behalten, dann stellten sich schon Dutzende, wenn nicht Hunderte von Familien, an und boten der Frau riesige Summen Geld an, um das Kind zu adoptieren. Abtreibungen gab es so gut wie nicht mehr und diese wurden nur noch ausgeführt, wenn das Leben der erwartenden Mutter oder des Kindes auf dem Spiel stand.

Carter hatte noch nie in seinem Leben ein Kondom getragen und er hatte es auch nicht üben können, denn im Jahr 2085 gab es keine Kondomhersteller mehr. Der Vorrat, der noch aus den 2060ern übrig war, gerade als die Produktion eingestellt worden war, war so alt, dass das dünne Latex beim Auspacken aus den Folientäschchen sogleich zerbröselte. Leider hatte Carter vergessen, sich nach seiner Ankunft im Jahr 2025 mit Kondomen einzudecken.

Carter schwebte über Julie. “Fuck, ich habe keine. Tut mir leid, ich glaube, ich hatte das nicht geplant.“

Zu seiner Überraschung lächelte Julie ihn an. „Das ist erfrischend.“

„Unvorbereitet zu sein?“, fragte er verwundert.

„In gewisser Weise. Du bist vermutlich der

einzige Kerl, der je auf eine Fraternity-Party gegangen ist, ohne ein paar Kondome in seiner Hosentasche zu haben.“ Sie küsste ihn sanft auf die Lippen und deutete zum Nachttisch. „Oberste Schublade.“

„Du bist meine Lebensretterin“, sagte Carter und öffnete die Schublade. Drinnen fand er tatsächlich eine Schachtel Kondome. Sie waren noch in ihrer Originalverpackung. Einige Sekunden versuchte er verzweifelt, das Plastik zu entfernen, bevor er endlich die kleine Pappschachtel öffnen und ein Folienpaket herausnehmen konnte.

Er wandte sich von Julie ab, damit sie nicht sehen konnte, wie ungeschickt er war, als er das Kondom über seinen Schwanz rollte. Und er war in der Tat total ungeschickt. Er rollte gerade das Kondom über seine Erektion, als dieses riss.

„Fuck!“, fluchte er.

„Was ist los?”

Er sah über seine Schulter. „Es ist gerissen.“

„Oh, passiert dir das oft?“

„Ist noch nie passiert.“ Und das war auch die Wahrheit.

Er entfernte die Überreste des zerrissenen Kondoms von seinem Schwanz und griff nach einem zweiten. Dieses Mal war er ein bisschen vorsichtiger und zwang das unbequeme Latex nicht ganz bis zur Wurzel seiner Erektion hinauf. Vielleicht sollte das Ding ja auch gar nicht so weit reichen, aber was wusste er schon über Kondome?

„Erledigt.“

Als er sich ihr wieder zuwandte, bemerkte er ihren beklommenen Gesichtsausdruck.

„Ich werde so sanft wie möglich sein“, sagte er und strich mit den Fingerknöcheln über ihre Wange.

„Weil ich Jungfrau bin?“

Er schüttelte den Kopf. “Weil ich dir nie wehtun werde. Du bist zu kostbar.“

Nicht nur weil Julie eine wichtige Rolle darin spielte, die Zukunft zu retten, sondern auch weil er sich mehr zu ihr hingezogen fühlte, als er erwartet hatte. War es möglich, sich in nur ein paar Stunden in jemanden zu verlieben? Er hatte diese Theorie immer abgewiesen und sie für dumm und oberflächlich gehalten. Doch jetzt war er sich dessen nicht mehr so sicher.

Carter rollte sich über Julie und sie machte zwischen ihren Schenkeln Platz für ihn. Er stützte sich auf seine Knie und Ellbogen, senkte seinen Kopf zu ihrem und nahm ihre Lippen zu einem tiefen Kuss gefangen. Sie erwiderte diesen wie zuvor mit Leidenschaft und Inbrunst. Sie berührte ihn und legte ihre Hände auf seine Brust und Schultern, um ihn zu erforschen, während Carter sich ausrichtete und gegen ihr Geschlecht stupste.

Ihr Atem verfing sich, doch Carter konnte jetzt nicht mehr zurück. Er drang mit einem schnellen Stoß in sie ein, denn er wusste, dass so der Schmerz, den sie beim Zerreißen ihres Jungfernhäutchens verspürte, nur ganz kurz andauerte. Als er in ihr war, blieb er bewegungslos und lenkte sie von dem temporären Unbehagen ab, indem er sie leidenschaftlich küsste. Es fühlte sich in ihr gut an, warm, feucht, eng. Ihre inneren Muskeln ergriffen seinen Schwanz, als mache sie eine enge Faust um ihn. Bei dem Gefühl erschauderte er und unterbrach den Kuss.

„Bist du okay?”, flüsterte er.

Sie sah zu ihm auf. „Ja. Es ist nur ein bisschen … neu.“

Er lachte leise, dann zog er seine Hüften ein paar Zentimeter zurück, bevor er mit einem langsamen Stoß wieder in sie eintauchte. Er beobachtete, wie sie reagierte und sah, dass sich ihre Lippen teilten und ein langer Atemzug ihrer Kehle entkam. Dann atmete sie genauso lange ein. Ihre Wimpern flatterten.

„Magst du das so?“, fragte er und wiederholte die Bewegung.

„Ohhhh … das ist … oh … so gut“, sagte sie mit heiserer Stimme.

„Gut.“ Er bewegte sich in langsamem Tempo vor und zurück. Er wusste, dass sie etwas Zeit brauchen würde, sich an ihn und an seine Größe zu gewöhnen, bevor er härter in sie stoßen konnte, ohne ihr wehzutun. „Leg deine Beine um mich.“

Sie hob ihre Knie und verschränkte ihre Knöchel unter seinem Hintern. „So?“

„Ja, genau so.“

Carter verlagerte seinen Winkel, sodass sein Schambein an Julies Klitoris rieb, wenn er in ihre süße Muschi eindrang. Fuck, war sie heiß. Sie nur anzusehen brachte ihn beinahe zum Höhepunkt. Doch er zügelte sich. Es war keine einfache Leistung, der Anziehungskraft, die Julie auf ihn ausübte, zu widerstehen. Sie wusste es nicht, doch so wie sie sich bewegte, so wie ihr Körper auf ihn reagierte, das war nichts, das man lernen konnte. Es war der Instinkt. Sie war perfekt für ihn. Perfekt, wie sie sich im Einklang mit ihm bewegte, perfekt, wie ihrer beider Atmung sich gleichzeitig beschleunigte, perfekt, wie ihre Herzschläge ineinander widerhallten.

Als er sein Tempo beschleunigte, hielt sie mit ihm Schritt. Sie stöhnte voller Vergnügen und diese Laute ertönten immer häufiger und lauter, als ihr Liebesspiel ein höheres Niveau erklomm. In seinen Armen verwandelte sie sich in eine Frau voller Begierde, in eine Frau, die keine Grenzen kannte.

„Hör nicht auf“, flehte sie.

„Ich höre nicht auf“, versicherte er ihr und stieß weiterhin seine Erektion so tief in sie, wie er konnte. Ihr Geschlecht tropfte regelrecht von ihren Säften und jede Bewegung fühlte sich an, als tauche er in Seide ein.

Er verdoppelte seine Bemühungen und ritt sie härter, schneller, tiefer.

„Es gefällt dir, gefickt zu werden, oder?" Fuck, waren diese Worte gerade über seine Lippen gerollt? Hatte er den Verstand verloren, so mit Julie zu sprechen? Mit einer Unschuldigen?

„Ja", sagte sie mit einem Stöhnen, „fick mich härter."

Er war sich nicht sicher, ob er richtig gehört hatte. „Härter?"

Sie ergriff seine Hüften und zog ihn zu sich, sodass sie noch härter zusammenprallten. Er befürchtete, dass er ihr wehgetan hatte, doch Julie krümmte ihren Rücken und drückte ihren Hinterkopf in das Kissen.

In dem Moment konnte er sich nicht länger beherrschen. Er ließ die Zügel seiner Kontrolle los, griff zwischen ihre Körper und fand Julies Klitoris. Sein Finger rieb darüber, während er härter in sie stieß.

Julie entkam ein kleiner atemloser Schrei. Einen Augenblick später spürte er, wie ihre inneren Muskeln um seinen Schwanz herum zuckten. Carter ließ das bisschen an Beherrschung, das er noch hatte, los und ließ seinen Orgasmus über sich hereinbrechen, bis er schließlich auf Julie zusammenbrach.

Er hatte gerade noch genug Kraft, sich über ihr abzustützen, damit er sie nicht mit seinem Gewicht zerquetschte.

„Fuck!", entfuhr es ihm. „Das war ... das war ... unglaublich."

Sie legte ihre Hand auf seine Wange und er drehte sein Gesicht in ihre Handfläche und küsste diese.

„Also habe ich alles richtig gemacht?", fragte sie.

Als er sie ansah, bemerkte er, dass sie lächelte. „Wie du schon ganz genau weißt, du kleine Verführerin. Es war perfekt. *Du* warst perfekt."

Sie zog sein Gesicht zu sich. „Können wir das nochmal tun?"

„Ich habe ein Monster erschaffen."

„Das ist also ein Nein?"

Er schüttelte den Kopf. “Es ist ein Ja. Gib mir nur dreißig Minuten, um mich zu erholen, und dann kannst du mit mir machen, was du willst.“

Dann nahm er ihre Lippen gefangen und gab diese erst wieder frei, als sie beide atemlos waren.

15

Los Angeles, Samstag, 27. September 2025

Als sie die Strahlen der Sonne durch die zugezogenen Vorhänge hereinblitzen sah, schmiegte sich Julie näher an den warmen Körper in ihrem Bett. Sie träumte nicht. Nein, es war wirklich geschehen. Carter hatte Liebe mit ihr gemacht, sogar mehrere Male. Und es war so gewesen, wie sie es sich erhofft hatte, und noch viel besser. Er war gleichzeitig zärtlich und leidenschaftlich gewesen. Und rücksichtsvoll. Sie hatte in einer Nacht mehr über ihren Körper herausgefunden als in den zwanzig Jahren davor. Zu warten und ihre Jungfräulichkeit nicht an irgendjemanden zu verlieren, war es wert gewesen.

Sie konnte sich nicht erinnern, wann sie endlich eingeschlafen war, doch ihr Körper war entspannt und erschöpft gewesen. Carter hatte sie in seine Arme genommen und sie hatte sich in die Kurve seines Körpers geschmiegt. Sie hatte es geliebt, wie er sie von hinten wie ein beschützender Kokon umschlungen hatte. Sie wollte, dass jede Nacht so wäre, obwohl sie keine Ahnung hatte, wie sie jemals zum Studieren kommen würde, wenn er jede Nacht mit ihr verbrachte.

Ach Julie, ach Julie, schalt sie sich sanft, *du solltest nicht gleich so weit denken. Wer weiß, ob er überhaupt so viel Zeit mit dir verbringen will.*

Julie atmete Carters Geruch ein und seufzte zufrieden.

„Also bist du wach", murmelte Carter sanft in ihr Ohr.

Sie drehte sich in seinen Armen und sah ihn an. „Ich wollte dich nicht aufwecken."

„Hast du auch nicht. Ich bin schon eine Weile wach.“

Kam jetzt der Moment, wo er ihr sagte, dass er gehen musste und ihr nicht versprechen konnte, wann sie sich wiedersehen würden? Ihr graute vor diesem Augenblick.

„Du bist ein Frühaufsteher“, sagte sie, um sich von ihren Bedenken abzulenken.

„Du findest zehn Uhr früh?“ Er lachte leise.

Julie setzte sich ruckartig auf. „Was? Zehn Uhr?“ Ihr Blick landete auf dem Wecker, der auf dem Nachttisch stand.

Carter hatte recht: Es war schon nach zehn Uhr.

„Verdammt, ich kann nicht glauben, dass ich so lange geschlafen habe. Ich schlafe nie so lange.“

„Es ist Samstag“, sagte Carter und zog sie zu sich hinunter. Er schenkte ihr ein charmantes Grinsen und seine Augen funkelten verschmitzt. „Darf ich dich mit meiner Lieblingsaktivität am Morgen bekannt machen?“

Er drückte sie an sich, sodass sie seine Erektion spüren konnte.

Hitze stieg in ihre Wangen. Carter wollte sie immer noch und zeigte keinerlei Anzeichen, ihr Bett verlassen zu wollen.

„Wie wär's, wenn ich weiterhin deinen Tutor spiele und dir beibringe, mich zu reiten?“, versuchte er sie zu überreden und brachte sie auf ihm zum Liegen.

„Oh verdammt!“, fluchte sie, denn Carters Worte hatten sie an etwas erinnert. „Ich habe um elf Uhr einen Termin mit einem meiner Professoren.“ Und diesen Termin durfte sie nicht verpassen, denn sie brauchte einen ausgezeichneten Empfehlungsbrief von Professor Seymour, damit sie bei der MIT angenommen wurde.

„Kannst du das nicht verschieben?“

Sie seufzte bedauernd. „Leider nicht. Aber es wird nicht lange dauern. Vermutlich nur eine Stunde und danach muss ich schnell in die Buchhandlung, um die Bücher abzuholen, die ich bestellt habe.“ Plötzlich fielen ihr noch andere Dinge ein, die sie erledigen musste.

„Oh Mist, dann muss ich auch noch meinen Computer reparieren lassen und die machen heute um drei Uhr schon zu. Und morgen haben sie nicht offen … und ich brauche den Computer am Montag oder –“

„Wenn ich weniger Selbstvertrauen hätte, dann würde ich jetzt denken, dass du versuchst, mich loszuwerden.“ Er machte eine kurze Pause. „Machst du das?“

Julie lächelte ihn an und beugte sich zu ihm, um ihn zu küssen. „Mach ich nicht. Wie wär’s, wenn wir uns treffen, sobald ich alles erledigt habe? Bei dem kleinen Café an der Ecke von Glendon und Kinross? Kennst du das?“

Er lächelte. „Schwörst du, dass du mich dort nicht einfach wortlos sitzenlässt?“

Sie lachte und rieb sich an seinem Schwanz. „Und auf das hier verzichte? Ganz bestimmt nicht.“

„Gut. Dann gehe ich zu meiner Bude und dusche mich. Soll ich dich um vier Uhr treffen?“

„Perfekt.“

In dem Moment, als Carter angezogen war und ihr Zimmer verlassen hatte, sprang Julie unter die Dusche und machte sich fertig. Sie eilte zu dem Termin mit Professor Seymour und war sogar zwei Minuten zu früh dran.

Genau wie sie es gehofft hatte, war Professor Seymour von ihrem Referat über Nanotechnologie, das sie als Abschlussarbeit für den Kurs eingereicht hatte, den er im Sommersemester gegeben hatte, sehr beeindruckt gewesen. Er war gerne bereit, ihr eine ausgezeichnete Empfehlung für ihre Bewerbung zur MIT zu geben. Sie wusste, dass er selbst dort einige Jahre zuvor unterrichtet hatte, bevor er aus Familiengründen an die Westküste gezogen war. Seine Empfehlung würde deshalb einen großen Einfluss haben. Sie wollte ihn dafür umarmen, doch das konnte sie nicht, also dankte sie ihm stattdessen und schüttelte ihm begeistert die Hand.

Im Universitätsbuchladen war die Hölle los. Jeder holte sich die Bücher für's nächste

Semester ab. Sie stellte sich an. Es machte ihr nichts aus zu warten. Es gab ihr Zeit, ihren Tagträumen über die Nacht mit Carter nachzuhängen. Wenn sie an seine Berührung dachte, spürte sie immer noch ein kribbelndes Gefühl zwischen ihren Schenkeln.

„He, Julie, das war ja ein Schock, was gestern Nacht los war, oder?“

Erschrocken wandte sich Julie der Stimme zu. Sandy, eine ihrer Mitbewohnerinnen, stand neben ihr.

„Oh, guten Morgen, Sandy.“ Julie fühlte sich erhitzt, obwohl Sandy gar nicht wissen konnte, welche Gedanken sie gerade unterbrochen hatte. „Meinst du auf der Fraternity-Party? Ja, Todd ist ein Arschloch. Und das hat er verdient.“

Sandy schüttelte den Kopf. “Nein, nicht das, obwohl er ein totaler Scheißkerl ist und das endlich auch jeder weiß. Das hat sich gestern wie ein Lauffeuer verbreitet. Aber davon spreche ich nicht.“

Julie erstarrte. Hatte Tonia etwa allen im Haus mitgeteilt, dass sie Carter und sie im Bett ertappt hatte? Oh Gott, wie peinlich.

„Hast du's überhaupt noch nicht gehört?“, sprach Sandy weiter. „Jemand ist gestern ins Haus eingebrochen, als wir alle auf der Party waren.“

Sie zählte sofort zwei und zwei zusammen: die offene Tür, als sie und Carter beim Haus angekommen waren, nachdem sie frühzeitig die Party verlassen hatten. Sie wollte es gerade Sandy gegenüber erwähnen, doch ihre Mitbewohnerin sprach wie ein Wasserfall.

„Aber den erwischen wir. Wir haben ihn auf Video.“

„Auf Video? Das Haus hat doch kein Sicherheitssystem.“

Sandy beugte sich näher. “Du weißt das wahrscheinlich nicht, aber Emily ist immer so sonderlich mit ihren Sachen und beschuldigt immer irgendjemanden von uns, ihr Make-up zu benutzen oder ihre Klamotten auszuleihen, egal was. Vollkommen paranoide. Tja, stellte sich heraus, dass sie, wenn sie das Haus verlässt, immer ihren alten Computer auf die offene Tür richtet und irgend so ein Softwareprogramm mit einem Bewegungsmelder installiert hat, damit sich die Kamera einschaltet, sobald jemand in ihr Zimmer geht, um diejenige in flagranti zu erwischen. Tja, sie hat jemanden erwischt, aber nicht eine von uns. Sie geht heute noch zur Polizei.“

Julies Herz schlug schneller. Gott sei Dank hatte Carter sie gestern nach Hause begleitet und sichergestellt, dass der Eindringling nicht mehr im Haus war. „Wow. Wurde irgendetwas gestohlen?“

Sandy zuckte mit den Schultern. „Weiß ich noch nicht. Als ich das Haus verließ, schliefen die meisten noch. Ich glaube, es wissen auch noch nicht alle davon. Schau lieber in deinem Zimmer nach, ob etwas fehlt, vor allem dein Computer. So wie’s aussieht, hat er nichts aus dem Wohnzimmer mitgenommen. Der Fernseher ist noch da.“

Julie deutete auf ihre Tasche, in dem ihr Laptop steckte, da sie nach dem Buchladen sofort zum Computerreparaturladen gehen wollte. „Ich habe meinen Computer hier und es sah nicht so aus, als wäre in meinem Zimmer etwas durchwühlt worden.“

„Das ist gut.“

„Der Nächste bitte“, sagte die Angestellte und Julie bemerkte, dass sie dran war.

„Bis später dann“, sagte Julie zu Sandy und ging zur Theke, wo sie der Angestellten ihren Bestellschein reichte.

16

Im Reparaturladen ging es nicht so sehr zu, wie Julie erwartet hatte. Zu ihrer Überraschung stellte sich das Problem mit ihrem Laptop als etwas heraus, das ein Techniker sofort vor Ort reparieren konnte. Als sie das Geschäft verließ, war es erst 14 Uhr. Sie hätte es früher als 16 Uhr mit Carter ausmachen sollen, doch aus irgendeinem Grund hatte sie zu keinem Zeitpunkt daran gedacht, ihn um seine Handynummer zu bitten. Sehr doof!

Sie entschloss sich, zurück nach Hause zu gehen, damit sie ihren Laptop in ihrem Zimmer abladen und vielleicht schnell etwas essen konnte. Der nächtliche Sex hatte sie hungrig gemacht und sie hatte keine Zeit gehabt, schon vorher etwas zu essen.

Als Julie das Haus betrat, sah sie Emily die Treppe vom ersten Stock herunterkommen. Sie hatte ihre Handtasche diagonal über ihren Oberkörper geschlungen und hielt ihr Handy in der Hand.

„Hey Emily“, sagte Julie.

Emily begegnete ihrem Blick. “Hast du’s schon gehört?“ Sie deutete auf ihr Handy.

„Ja, ich habe im Buchladen Sandy getroffen.“

„Ich bin auf dem Weg zur Polizei, um Anzeige zu erstatten. Willst du mitkommen?“

Julie sah auf ihre Uhr. „Ich wünschte, das könnte ich, aber ich treffe mich bald mit jemandem. Ich will mich nicht verspäten.“

„Kein Problem.“ Emily zuckte mit den Schultern. „Aber du solltest dir das anschauen.“

Julie trat näher und Emily scrollte zu dem Video auf ihrem Handy.

„Die Aufzeichnung begann, als der Einbrecher an meinem Zimmer vorbeiging.“

Julie sah auf das Video. Es war dunkel, aber eine gute Aufnahme.

„Siehst du, er geht nicht in mein Zimmer, sondern öffnet die Tür zu deinem und geht hinein.“

Julie beobachtete, wie der große Mann in ihr Zimmer trat, das direkt gegenüber Emilys lag. Er ließ die Tür offen und da Emilys Tür auch offen war, zeichnete der Computer den Eindringling weiter auf.

In Julies Zimmer schaltete er die Nachttischlampe an und durchstöberte ihre Sachen. Julie fühlte sich angegriffen. Wie konnte er es nur wagen?

„Was zum Teufel hat er gesucht?“, knurrte sie und sah genauer hin, doch das Gesicht des Mannes lag immer noch im Dunklen. Das Licht ihrer Nachttischlampe reichte nicht aus. Und während der meisten Zeit des Videos drehte er der Kamera den Rücken zu.

Mittendrin erschien es, als wäre hinter dem Fremden, der nun mit dem Rücken zur Tür auf dem Bett saß, eine zweite Lichtquelle. Doch Julie konnte nicht sehen, was es war. Vielleicht eine Taschenlampe?

Dann wandte er sich um und für einen winzigen Moment beleuchtete die Nachttischlampe sein Gesicht.

„Da! Wir haben ihn“, sagte Emily triumphierend, als der Eindringling aus dem Raum eilte und die Tür hinter sich schloss. „Ich bin mir sicher, dass die Polizei das durch so ein Gesichtserkennungssystem laufen lassen kann, oder? Ich meine, du kennst dich mit Technik besser aus als ich.“

Doch Julie konnte nicht sprechen. Sie fühlte sich wie gelähmt.

„Ja, ich bin genauso verärgert“, sagte Emily, als sie ihr schockiertes Gesicht sah. „Und dabei war er nicht mal in meinem Zimmer.“

„Ja“, sagte Julie und ihre Stimme klang schwach und kratzig.

Sie hatte den Eindringling erkannt. Es war Carter.

Einen Augenblick lang versuchte sie, sein Benehmen zu erklären. Sie wusste, dass er nach oben gegangen war, um nach dem Eindringling zu suchen, als er und Julie die Eingangstür unverschlossen vorgefunden hatten. War das, was Emilys Video anzeigte, Carters Suche nach dem Eindringling?

„Kannst du es nochmal ein paar Sekunden zurücklaufen lassen?“

„Na sicher.“

Emily kam ihrer Aufforderung nach und spielte das Video nochmals ab. Dann sah Julie wonach sie suchte: der Zeitstempel.

Carter hatte ihr Zimmer um 21:02 Uhr verlassen – als Julie noch auf der Party war, lange bevor er sie vor Todd gerettet hatte.

Gerettet? War das wirklich, was er getan hatte? Oder war das alles ein ausgefeilter Plan, um an sie ranzukommen? Das musste es sein.

Carter hatte sie ausgetrickst, sie manipuliert, um sie ins Bett zu kriegen.

Julie unterdrückte die Tränen, bis sie ihr Zimmer erreicht hatte, doch sobald die Tür hinter ihr geschlossen war, konnte sie sie nicht länger zurückhalten.

Carter hatte sie betrogen.

17

Carter nahm an einem leeren Tisch vor dem Café Platz, wo Julie ihn gebeten hatte, sie zu treffen. Er war früh dran, denn er wollte nicht, dass Julie vor ihm ankam und dachte, er hätte sie versetzt. Er rührte den Eiskaffee, den er bestellt hatte, kaum an. Die Methoden des Cafés verwunderten ihn. Die Getränke wurden in Einmalpappbechern serviert und er hatte mit eigenen Augen gesehen, dass die Kunden, sobald sie ausgetrunken hatten, die Papierbecher in den Mülleimer warfen. Wussten sie denn nicht, wie wertvoll Papier war? Die großen Feuer im Amazonas-Regenwald in den 2040ern und der uneingeschränkte Bedarf an Bauholz in Kanada und den USA hatten die Wälder dezimiert. Bäume waren rar geworden und es hatte weltweiter Bemühungen bedurft, die Wälder wiederherzustellen. Das Fällen von Bäumen unterlag nun einer strikten Kontrolle und Papierbecher und -teller oder ähnliche Dinge waren verboten.

Carter seufzte. Er war nervös. Ihm blieben nur noch zweieinhalb Tage, um Julie zu gestehen, wer er war und woher er stammte, sowie sie davon zu überzeugen, mit ihm in die Zukunft zu reisen.

In seinem Kopf zählte er die Punkte, die für ihn sprachen.

Erstens: Er hatte Julie vor Todd gerettet, dem Idioten, der sie laut den historischen Aufzeichnungen vergewaltigt hätte. Auch wenn Julie nichts von ihrem Schicksal wissen konnte, hatte sie erkannt, dass er sie vor jemandem mit üblen Absichten gerettet hatte. Carter hatte nicht vor, ihr von dem

Polizeibericht zu erzählen. Warum sollte er sie diesem Trauma aussetzen, wenn es nicht notwendig war? Es reichte, dass sie wusste, dass Todd versucht hatte, ihr eine Droge unterzujubeln, und dass Carter das gerade noch rechtzeitig verhindern konnte.

Zweitens: Er hatte mit Julie eine paradiesische Nacht im Bett verbracht und sie in die fleischlichen Freuden eingeweiht, die zwischen einem Paar, das auf allen Ebenen harmonierte, möglich waren. Er war sanft mit ihr umgegangen und hatte ihre Bedürfnisse seinen vorangestellt. Wenn er allerdings ehrlich war, dann musste er zugeben, dass er genauso viel Vergnügen bei ihrem Liebesspiel gehabt hatte wie sie, wenn nicht noch mehr. Zu sehen, wie sie sich ihrem Verlangen hingab, hatte ihm noch mehr Befriedigung verschafft als seine eigenen Höhepunkte.

Drittens: Er und Julie hatten einiges gemeinsam. Sie interessierte sich für Nanotechnologie, ein Gebiet, das im Jahr 2085 sehr weit fortgeschritten war, und obwohl er dieses Fach nicht studierte, war sein

Studiengang im Bereich der Klima- und Umweltwissenschaft nahe mit ihrem verbunden. Sie waren sogar aufeinander angewiesen. Zu wissen, dass er und Julie eines Tages in verwandten Bereichen arbeiten würden, war reizvoll. Sie würden sich über mehr Dinge als nur Sex unterhalten können. Und er wusste – zwar nicht aus eigener Erfahrung, sondern der seiner Eltern –, dass ein Paar mehr als nur körperliche Anziehung brauchte, um alt miteinander zu werden.

Es war sonderbar, dass er erst jetzt bemerkte, dass er schon an eine Zukunft mit Julie dachte, obwohl die Mission dies nicht verlangte. Die Mission eines zeitreisenden Romeos lag nur darin, die Frau zu überreden, mit ihm in die Zukunft zu reisen. Wenn sie erst einmal im Jahr 2085 angekommen war, durfte die Frau ihren Partner frei wählen. Das war den Romeos während ihres Trainings eingebläut worden, obwohl das Computerprogramm, das die Männer von 2085 mit den Frauen von 2025 gepaart hatte, jedem Paar die besten Chancen der Kompatibilität verlieh.

Zwischen Carter und Julie knisterte es. Das

war unbestreitbar, doch er war den Punkten, die in der negativen Rubrik standen, gegenüber nicht blind. Er war ein Fremder, der sie unter einem Vorwand kennengelernt hatte. Zeitreisen war ein Konzept, das die Wissenschaftler von 2025 noch nicht einmal über die Hypothese der Krümmung der Raumzeit hinaus erforscht hatten. Julie würde sich schwertun ihm zu glauben, dass er aus der Zukunft kam. Doch selbst wenn sie es glaubte, musste er immer noch die Hürde überwinden, sie davon zu überzeugen, ihr ganzes bisheriges Leben hinter sich zu lassen. Diesen Punkt sah er als das größte Hindernis an, trotzdem musste er dieses innerhalb der nächsten zweieinhalb Tage bewältigen oder er würde in seiner Mission scheitern. Und Julie würde sterben.

Ein Schatten fiel auf seinen Tisch und er sah hoch. Julie stand vor ihm.

Er sprang auf, um sie mit einem Kuss zu begrüßen, doch sie drückte ihre Hand gegen seine Brust und stoppte ihn. Erst jetzt bemerkte er ihren Gesichtsausdruck. Sie schien verärgert zu sein.

„Julie? Ist alles in Ordnung?“

„Nein, ist es nicht.“

„Komm setz dich und erzähl mir, was los ist“, sagte er und deutete zu einem Stuhl.

Doch sie blieb stehen, also tat er dasselbe.

„Ich bleibe nicht lange“, sagte sie in einem abgehackten Ton.

Er war kein Idiot. Sie war böse auf ihn, doch er hatte keine Ahnung, warum.

„Julie, Baby, was –“

„Du hast kein Recht, mich so zu nennen.“

Er fuhr sich nervös mit der Hand durchs Haar. „Bitte, Julie, was stimmt nicht?“

„Du“, klagte sie ihn an. „Du bist gestern Abend ins Haus eingebrochen.“

Sein Herz blieb stehen. Wie zum Teufel wusste sie das? Hatte ihn doch jemand gesehen?

„Ich ...“ Er stoppte sich. Auf dies war er nicht vorbereitet und hatte keine Antwort parat.

„Leugne es nicht. Meine Mitbewohnerin hat ein Video von dir, wie du in mein Zimmer gehst und meine Sachen durchwühlst.“

Scheiße!

„Und bevor du behauptest, das wäre gewesen, als du das Haus nach einem Eindringling durchsucht hast, spar es dir, denn das Video hat einen Zeitstempel. Es wurde aufgenommen, als ich noch auf der Party war."

„Julie, bitte, ich kann es erklären –"

„Erklären? Du hast mich betrogen! Wie hast du es angestellt? Hast du gesehen, wie Todd mich angebaggert hat, und dir gedacht, du könntest ihm Drogen unterjubeln und dann den Helden spielen?" Ihre Stimme wurde mit jedem Wort lauter.

Carter sah sich um. Einige Leute starrten sie schon neugierig an.

„Das habe ich nicht getan. Ich schwöre es. Lass uns irgendwo hingehen, wo wir in Ruhe reden können."

„Glaubst du, ich bin doof? Mit dir gehe ich nirgendwo hin, selbst wenn mein Leben davon abhängen würde!", keifte sie.

Fuck! Was nun?

„Julie", sagte er mit gesenkter Stimme und beugte sich näher in der Hoffnung, dass die Leute am Nebentisch ihn nicht hören konnten. „Ich bin aus dem Jahr 2085 gekommen, um dich zu retten. Nächste Woche wird ein Virus durch die Westküste fegen und du wirst eine der ersten sein, die sich ansteckt –“

„Du verdammter Lügner!“, unterbrach sie ihn. „Du glaubst, du kannst mir irgendeine fantastische Story auftischen … Das ist ja wohl das Allerletzte … Du bist ein absolutes Arschloch!“

„Ich kann es beweisen“, sagte er verzweifelt. Er schob seinen linken Ärmel hoch und wandte sich ab, sodass die anderen Gäste nicht sehen konnten, was er tat. Dann tippte er auf sein Handgelenk.

„Hier, das ist –“ Abrupt stoppte er. Er trug sein Holocom nicht. Er hatte es im Motel abgenommen, um sich zu duschen, und dann vergessen, es wieder anzulegen. So etwas konnte auch leicht geschehen, da er es zuhause nie hätte abnehmen müssen. „Scheiße!“

Julie funkelte ihn wütend an. „Kontaktiere mich nie wieder.“

Dann wirbelte sie herum und eilte davon.

„Fuck, fuck, fuck“, fluchte er.

Es hatte keinen Zweck, ihr

hinterherzulaufen. Ohne sein Holocom hatte er keinerlei Beweise, dass er nicht log. Er musste zurück ins Motel, sein Holocom holen und dann versuchen, mit Julie wieder alles ins Reine zu bringen.

18

Carter schloss die Tür auf und eilte in sein Motelzimmer. Er rannte in das Badezimmer und sah sich um. Wo, verdammt noch mal, war sein Holocom? Er versuchte sich zu erinnern, was er getan hatte, bevor er unter die Dusche gesprungen war. Zuerst hatte er sich im Schlafzimmer ausgezogen, dann war er in das Badezimmer gegangen und hatte nach einem Handtuch gegriffen. Dabei war ihm aufgefallen, dass er immer noch das Holocom trug. Carter wandte sich zu dem Regal um, auf dem extra Toilettenpapier stand. Sein Holocom lag auf einer Rolle, dort, wo er es hingelegt hatte, damit es nicht nass wurde.

Er schnappte es sich, legte es um sein Handgelenk und beobachtete, wie es sich an ihn schmiegte, die Eigenheiten seiner Haut annahm und somit unsichtbar wurde.

Als er ein Geräusch vernahm, drehte sich Carter um und trat zurück ins Schlafzimmer. Er war nicht mehr allein. In seiner Eile hatte er vergessen, die Tür hinter sich zu schließen.

Verflucht!

Todd Stirling war nicht allein gekommen. Er hatte einen Kumpel mitgebracht, der ein bisschen größer – und ein bisschen breiter – als der Beinahe-Vergewaltiger war. Und keiner der beiden sah auch nur im Geringsten freundlich aus. Sie waren ihm gefolgt und er hatte es nicht bemerkt, weil er nur die Auseinandersetzung mit Julie im Kopf hatte.

„Verschwindet von hier!“, brummte Carter.

Es war klar, dass sich die zwei nicht einschüchtern lassen würden. Sie waren auf eine Schlägerei aus.

„Machen wir“, sagte Todd. „Nachdem wir dir verabreicht haben, was du dir verdient hast.“ Er deutete zu seinem Kumpel. „Steve, mach die Tür zu.“

Steve tat, was ihm aufgetragen wurde.

Carter wusste, was das bedeutete. Doch ihn konnte man auch nicht so schnell einschüchtern. „Was ich mir verdient habe? Sagt der, der vorhatte, Julie zu vergewaltigen.“

Todd grinste höhnisch. „Glaub mir, sie wollte es. Ganz dringend.“ Er funkelte ihn bedrohlich an. „Aber dann kommst du Arschloch mir dazwischen und verdirbst mir den Spaß.“

Todd und Steve kamen langsam auf ihn zu und schnitten Carter den Fluchtweg ab.

„Jetzt werden wir ein bisschen Spaß haben und wenn wir mit dir fertig sind, dann kommt Julie dran.“ Todd griff sich an den Schritt. „Dann zeige ich ihr, was sie verpasst hat.“

„Wenn du Julie anfasst, dann bringe ich dich um.“

Wutentbrannt hechtete Carter auf Todd zu und zerrte ihn so schnell zu Boden, dass der Idiot keine Zeit hatte zu reagieren. Carter schlug mit der Faust zu und Todds Kopf wippte zur Seite, bevor Steve sich dem Kampf anschloss.

Das hatte Carter auch erwartet, denn Typen wie Todd machten ihre Drecksarbeit nicht allein. Sie brauchten immer einen Helfershelfer. Und Steve half ihm sofort. Er zog Carter von Todd weg und schleuderte ihn an den kleinen Schreibtisch im Raum.

Die harte Holzkante traf Carter in die Nieren und schickte eine Schockwelle des Schmerzes durch seinen Unterkörper. Doch er ignorierte den Schmerz, denn er wusste, dass Julie in Gefahr war. Er nutzte den Tisch hinter sich als Hebel und trat Steve mit Schwung in die Magengegend, worauf dieser gegen die Wand knallte und aufstöhnte. Doch Carter konnte sich nicht ausruhen, denn Todd hatte sich schon aufgerappelt und teilte jetzt schwere Hiebe aus, zuerst in Carters Bauch, dann mehrere Schläge in dessen Gesicht.

Schmerz durchfuhr Carters Körper, doch er wehrte sich und landete einen Haken unter Todds Kinn, bevor Steve ihn in die Rippen kickte. Jetzt schlugen und traten beide auf ihn ein. Carter hielt sie sich, so gut es ging, vom

Leib, doch er hatte nur zwei Hände und konnte kaum zuschlagen, während die zwei Fraternity-Arschlöcher im Tandem arbeiteten.

Einer von Todds Kicks sandte Carter zu Boden und als er erst einmal dort unten war, hatte er keine Chance mehr, sich aufzurappeln.

„Das ist dafür, dass du meinen Ruf ruiniert hast“, knurrte Todd und trat Carter in den Magen.

Carter krümmte sich, doch er musste noch mehr Tritte einstecken.

„Das wird es dich lehren!“, sagte Todd triumphierend.

Noch ein brutaler Tritt und Carter schlug mit dem Kopf gegen ein Tischbein hinter sich. Er kämpfte gegen die Dunkelheit an, die sich um ihn legte, doch er verlor.

Bewusstlos blieb er liegen.

19

Julie lag auf ihrem Bett und starrte vor sich hin. Sie hatte geweint, als sie die Privatsphäre ihres Zimmers erreicht hatte. Zum Glück hatte keine ihrer Mitbewohnerinnen sie heimkommen gesehen. Alle schienen anderweitig beschäftigt zu sein. Sie hörte Duschwasser laufen, mehrere Föhne wurden benutzt und Stöckelschuhe klackten auf dem alten Holzfußboden.

Bei einem Klopfen an der Tür schoß Julie hoch. „Was?“

Die Tür öffnete sich und Belle, eine schöne Rothaarige, die ihrem Namen gerecht wurde, steckte den Kopf herein. „Heh, Julie, kann ich mir deinen Föhn leihen? Meiner hat gerade den Geist aufgegeben."

„Klar." Sie deutete zu ihrem Bad. „Im Bad, unten im Regal."

Belle eilte hinein und kam ein paar Sekunden später mit dem Föhn in der Hand wieder zurück. „Danke! Du rettest mir das Leben!" Sie war schon an der Tür, als sie stoppte und Julie ansah. „Trägst du das fürs Restaurant? Von dem, was Michaela erzählt hat, ist es ziemlich gehoben. Ihr Vater spendiert alles. Man wird ja nur einmal einundzwanzig, oder?"

Julie hatte nicht vergessen, dass Michaela heute Geburtstag hatte und dass ihr Vater eine Limousine bestellt hatte, um sie alle zu einem teuren Restaurant in Malibu zu bringen. Doch sie war nicht in Stimmung mitzugehen. Sie war nicht in Stimmung zu lachen und zu feiern, wenn sie innerlich enttäuscht und verletzt war.

„Ich komme nicht mit", sagte Julie. „Ich glaube, ich werde krank."

„Oh nein!" Belle klang wirklich enttäuscht. „Ich hoffe, es ist nicht das Virus, von dem sie im Fernsehen berichtet haben. Es gab schon einige Ausbrüche auf einem Kreuzfahrtschiff, das in Long Beach angelegt hat."

Julie hatte noch von keinem Virus gehört, doch sie hatte in den letzten Tagen auch nicht ferngesehen. Außerdem wusste sie, dass sie nicht krank war, außer ein gebrochenes Herz zählte als Krankheit. „Ich bin mir sicher, dass ich nur ausreichend schlafen muss, damit es mir wieder besser geht." Sie zwang sich zu einem Lächeln. „Amüsiert euch gut!"

„Okay dann. Ich hoffe, dir geht's bald wieder besser", sagte Belle und verließ das Zimmer.

Zwanzig Minuten später hörte Julie, wie die Limousine in die Auffahrt fuhr und fünfzehn Minuten später hatten sogar die Nachzügler das Haus verlassen. Sie war allein. Allein mit ihren Gedanken und ihrem gebrochenen Herzen. Wie konnte sie sich nur so in Carter getäuscht haben? Er hatte den rücksichtsvollen Liebhaber gespielt und sie war darauf hereingefallen. Wie ein naives Landei. Sie hasste ihn, weil er vorgegeben hatte, ein Guter zu sein, obwohl er in Wirklichkeit nicht besser als Todd war.

Ein plötzliches Klingeln unterbrach ihre Gedanken. Sie erwog, nicht darauf zu reagieren, doch als es ein zweites Mal klingelte, fragte sie sich, ob eine ihrer Mitbewohnerinnen vielleicht etwas bestellt hatte, für das eine Unterschrift notwendig war.

Sie stand auf und ging zur Tür. Im Vorbeigehen schaute sie in den Spiegel. Zumindest sahen ihre Augen nicht mehr so geschwollen aus. Sie verließ ihr Zimmer und ging die Treppe hinunter. Als sie die Tür öffnete, bemerkte sie, dass es inzwischen dunkel geworden war. Die Lampe über der Tür hatte eine neue Glühbirne und beleuchtete nun einen jungen Mann, der allerdings kein Päckchen brachte. Julie hatte ihn schon irgendwo einmal gesehen, vielleicht auf dem Universitätsgelände.

„Ja?“, fragte sie.

„Du kennst mich nicht, aber ich war gestern Abend auf der Fraternity-Party und hab gesehen, was dort geschah“, fing er an.

„Ja, äh …“ Sie zog die Tür näher zu sich, bereit sie zu schließen.

„Tut mir leid. Ich wollte nicht aufdringlich sein.“ Er lächelte. „Es ist nur so, dass das, was dir widerfahren ist, auch meiner Schwester widerfahren ist und ich glaube, wenn du aussagen würdest, dann könnten wir ihn vielleicht vor Gericht bringen.“ Er deutete auf die Diele hinter ihr. „Können wir darüber sprechen?“

Sie zögerte. Sie kannte diesen Kerl nicht und sie war allein im Haus. „Jetzt passt es nicht gut“, sagte sie.

„Natürlich, natürlich“, sagte er schnell. „Du hast vermutlich was vor. Ich gehe lieber. Vielleicht kann ich dich wann anders anrufen, damit wir uns darüber unterhalten können?“

Sie nickte. „Das wäre besser.“

Er zog sein Handy aus der Hosentasche. „Wie ist deine Nummer?“

Sie entspannte sich und begann, sie ihm zu diktieren.

„Okay, ich hab’s“, sagte er und hielt ihr das Handy hin, damit sie sehen konnte, was er eingetippt hatte.

„Oh, die letzten zwei Ziffern sind verkehrt“, sagte sie und griff nach dem Handy. „Lass mich das korrigieren.“

Mit einer Hand hielt sie das Handy, während sie auf das Display sah und mit der anderen Hand die richtige Nummer eingab, als der Typ die Tür ganz aufstieß und ein zweiter, der wie aus dem Nichts kam, sich auf sie stürzte und sie hochriss. Sie erkannte ihn sofort: Es war Todd.

Sie schrie auf, doch Todds Freund hatte bereits die Eingangstür geschlossen und half nun Todd, sie die Treppe hinaufzuschleppen.

„Du kleines Miststück! Jetzt bezahlst du dafür, dass du mich auf meiner eigenen Party blamiert hast“, brummte Todd.

Julie trat um sich und schrie: „Lasst mich los! Hilfe! Jemand soll mir helfen!“

„Steve, kümmere dich, dass sie die Klappe hält“, befahl Todd und sein Freund legte ihr seine große Hand auf den Mund, um ihre Proteste zu ersticken.

Sie hatten kein Problem, sie die Treppe hinauf und in ihr Zimmer zu zerren. Sie warfen sie aufs Bett, doch die Angst verlieh ihr Stärke und sie trat sofort nach Todd und schubste ihn zurück. Doch Steve hielt sie jetzt gegen die Matratze gedrückt fest.

Todd näherte sich und machte seinen Gürtel auf. Sein Gesicht war wutentbrannt.

„Hilfe!“, schrie sie nochmals, während sie versuchte, sich aus Steves Griff zu winden, doch er war zu stark. „Hilfe! Irgendjemand!“

„Sie ist wie eine Wildkatze!“, meinte Steve. „Ich glaube, wenn du fertig bist, dann bin ich an der Reihe.“

Panik, Angst und Verzweiflung kollidierten in ihr. Sie würden sie brutal vergewaltigen. Und danach? Würden sie sie am Leben lassen? Ein Schauder kroch ihr den Rücken hoch. Sie konnte das nicht zulassen.

Todd hatte bereits seinen Reißverschluss geöffnet und schob nun seine Hose und dann seine Unterhose bis zu seinen Knien hinab. Julie trat mit ihren Beinen in seine Richtung, doch Steve schnappte sich ein Bein und drehte es. Voller Schmerz schrie sie auf. Dann beugte sich Steve seitlich über ihren Oberkörper, hielt ihre Arme gefangen und presste ihren Körper härter aufs Bett, während Todd Julies Hose öffnete und sie ihr auszog.

„Nein!“, schrie sie. „Stopp! Tut das nicht! Bitte!“

Doch die beiden anzuflehen brachte nichts. Tränen schossen in ihre Augen. Ein Schluchzer entkam ihr.

Sie spürte Todds Hand an ihrem Slip, bereit, ihr diesen auszuziehen, als er plötzlich vor Schmerz aufschrie und von ihr abließ.

Steve verdeckte ihr immer noch teilweise die Sicht, doch er wandte nun seinen Kopf zur Seite, um zu sehen, was mit Todd los war, wobei er seinen Griff lockerte. Das nutzte Julie aus und befreite ihren rechten Arm. Sie schlug damit Steve in den Nacken und er ließ ganz von ihr ab und wich zurück.

Dann sah sie die Person, die ihr zu Hilfe gekommen war: Carter.

Auf dem Boden lag Todd auf dem Bauch. Sein nackter Hintern zeigte eine tiefe blutige Messerwunde auf. Er jammerte vor Schmerzen. Carter stand über ihm und hielt ein blutverschmiertes Messer in der Hand. Sein Gesicht war verletzt und geschwollen. Die

Wunden sahen frisch aus, doch konnten sie nicht von gerade eben stammen. Er war in den letzten paar Stunden in eine Schlägerei verwickelt gewesen, und es war nicht schwer zu erraten, mit wem.

Als Steve versuchte, sich Carter zu nähern, deutete dieser mit dem Messer auf ihn.

„Wenn du genauso enden willst wie dein Freund, dann komm ruhig näher“, lockte Carter ihn. „Nur eine kleine Warnung: Mein Großvater war Metzger.“

Steve warf ihm einen bangen Blick zu, dann hob er die Hände und machte einen weiten Bogen um Carter und Todd. „Ich habe nichts mit der Sache zu tun. Das war nur Todd.“

Julie sprang auf. „Nur Todd? Du hattest genauso vor, mich zu vergewaltigen, sobald Todd fertig gewesen wäre.“ Sie spuckte ihm ins Gesicht.

Steve machte eine Bewegung auf sie zu, vielleicht um sie zu schlagen, doch Carter war schneller. Sein Messer schnitt durch Steves Unterarm.

Steve schrie vor Schmerzen auf, während Blut auf den Boden tropfte.

„Wenn du sie berührst, dann wirst du dir wünschen, du wärst tot."

Carter funkelte Steve an und in dem Augenblick wurde Julie bewusst, dass Carter alles tun würde, um sie zu beschützen. Sogar nach all den Dingen, die sie ihm an den Kopf geworfen hatte.

„Jetzt nimm deinen verdammten Freund und verschwindet von hier oder ich werfe euch beide die Treppe hinunter."

Steve eilte zu seinem Freund und half ihm aufzustehen. Todd lehnte sich an ihn und jammerte bei jedem Schritt. Carter folgte ihnen und Julie hörte, wie sie nach unten gingen. Augenblicke später wurde die Eingangstür geöffnet und dann wieder geschlossen.

Sie hörte, wie Carter wieder die Treppe heraufkam. Er erschien in der offenen Tür und blieb dort stehen.

„Bist du verletzt?", fragte er.

Sie schüttelte den Kopf. „Nein." Sie ging auf ihn zu, unbesorgt darüber, dass sie halb nackt war. „Woher wusstest du, was sie planten?"

Er deutete auf sein Gesicht. „Sie sind mir zu meinem Motelzimmer gefolgt und haben mich verprügelt. Ich wusste, dass sie auf dem Weg zu dir waren.“ Er atmete schwer. „Ich war bewusstlos. Ich weiß nicht, wie lange. Ich hatte Angst, dass ich zu spät kommen würde.“

Sie überquerte die verbleibende Distanz zwischen ihnen und legte eine Hand auf seine Wange. Er zuckte zusammen und sie nahm sie schnell wieder weg. „Sie müssen gewartet haben, bis meine Mitbewohnerinnen zu Michaelas Geburtstagsparty aufgebrochen sind. Die beiden kamen nur ein paar Minuten, nachdem sie weg waren, hier an.“ Sie wollte ihn umarmen, doch sie wagte es nicht, da sie nicht wusste, welche anderen Verletzungen er noch hatte. „Ich weiß nicht, wie ich dir danken soll.“

„Ich schon“, sagte Carter. “Bitte hör mir nur eine halbe Stunde zu, damit ich dir erklären kann, wer ich bin und warum ich hier bin.“

Sie nickte. Das schuldete sie ihm. „Aber zuerst verarzte ich deine Verletzungen.“

20

Nachdem sie sich um Carters Verletzungen gekümmert, das eingetrocknete Blut auf seinem Gesicht und seinen Händen gereinigt und ihm Schmerzmittel gegeben hatte, seufzte Julie. Sein schönes Gesicht sah immer noch schlimm aus und es würde ein paar Tage dauern, bis es ganz verheilte, doch glücklicherweise hatten die Tritte, die Todd und Steve ihm verabreicht hatten, zu keinen gebrochenen Knochen geführt. Prellungen und Blutergüsse waren eine andere Sache. Sie hatte ihm das Hemd über den Kopf gezogen, um ihn zu untersuchen, und erst dann erkannt, wie brutal er zusammengeschlagen worden war. Und trotzdem war er zu ihr gerast und hatte seine Schmerzen ignoriert, um sie zu retten.

„Danke”, sagte Carter. “Du bist eine ziemlich gute Krankenschwester.“

Sie schüttelte den Kopf. „Du solltest vielleicht doch ins Krankenhaus gehen, damit sie dich untersuchen, nur für den Fall, dass du eine Gehirnerschütterung hast.“

„Ich kann mir nicht leisten, ins Krankenhaus zu gehen.“

„Hast du keine Krankenversicherung? Du könntest zur Studentenklinik gehen. Die nehmen –“

Er nahm ihre Hand in seine und schüttelte den Kopf. „Wie ich schon gestern Abend sagte, bin ich kein Student. Zumindest nicht hier.“

„Wo dann?“

„Nicht wo, sondern wann.“

Verwirrt fragte sie: „Was soll das heißen?“

Carter holte tief Luft. Er saß an der Bettkante, während Julie ihren Erste-Hilfe-Kasten wegräumte. „Du solltest dich dafür vielleicht hinsetzen.“

Ihr Herz fing an, schneller zu schlagen. Der ernste Ton in seiner Stimme begann, sie zu alarmieren. Sie zog einen Stuhl näher, um sich ihm gegenüber hinzusetzen. „Ich sitze."

„Mein Name ist Carter Ambrose und ich wurde im Jahr 2065 geboren." Er machte eine Pause, während sie versuchte, Sinn aus seinen Worten zu machen.

„Das ist nicht möglich." Schließlich lag 2065 in der Zukunft, nicht der Vergangenheit.

„Ich bin zwanzig Jahre alt. Ich bin aus dem Jahr 2085 hierher gereist. Ich komme aus der Zukunft, Julie. Ich wurde hierher geschickt, um dich zu suchen."

Automatisch schüttelte sie den Kopf. „Nein, nein, das ist Unsinn. Du kannst nicht aus der Zukunft sein. Das würde bedeuten, dass du eine Zeitreise unternommen hast. Das ist unmöglich. Diese Art von Technologie existiert nicht."

„Nein", bestätigte er, „nicht im Jahr 2025. Aber im Jahr 2085. Ich kann es beweisen."

Er klopfte auf sein Handgelenk und ganz plötzlich erschien eine Art Hologramm und schwebte über seinem Arm. Julie verschluckte sich an ihrer eigenen Spucke und sprang hoch. Ihre abrupte Bewegung bewirkte, dass der Stuhl umfiel und sie beinahe stolperte.

Carter erhob sich ebenfalls, obwohl sich sein Gesicht sofort vor Schmerz verzerrte. „Bitte, Julie, ich werde dir nicht wehtun. Du hast mir eine halbe Stunde versprochen, dir alles zu erklären. Bitte.“

Ihr Herz schlug bis in ihre Kehle, doch sie nickte. „Okay … eine halbe Stunde.“

Er setzte sich wieder hin und klopfte auf den Platz neben sich. „Bitte setz dich neben mich, damit du sehen kannst, was ich dir auf meinem Holocom zeigen will.“

„Holocom?“

„Dieses Gerät. Im Jahr 2085 hat jeder Mensch ab fünf Jahren so eines. Es ist unsere Version eines Handys, obwohl es so viel mehr ist. Es überwacht meine Vitalfunktionen und macht mich auf etwaige Erkrankungen aufmerksam. Es hat hunderte, wenn nicht sogar tausende von Funktionen.“

Zögerlich setzte sie sich neben ihn und blickte auf die Projektion, die über seinem Arm schwebte. „Das ist ein Hologramm“, sagte sie und beugte sich näher, um mehr Einzelheiten sehen zu können. „Aber es ist viel fortgeschrittener, als ich je gesehen habe. Die Details, die Klarheit ...“ Sie studierte diese Art von Technologie und ihr war sofort klar, dass das, was Carter ihr zeigte, nicht existierte. Nicht im Jahr 2025.

„Nanotechnologie ist mittlerweile sehr fortgeschritten“, sagte Carter.

Sie deutete auf sein Handgelenk. „Aber du trägst nichts, keine Uhr, gar nichts ...“ Selbst jetzt, wo sie auf sein Handgelenk schaute, konnte sie nichts erkennen, das so ein Gerät verstecken könnte. „Ein Implantat?“

„Nein.“ Er tippte nochmals auf sein Handgelenk und die Projektion verschwand.

Dann umgriff er sein Handgelenk mit einer Hand und entfernte diese einen Augenblick später. Plötzlich hielt er ein goldfarbenes, dünnes Armband, das nicht größer als eine Uhr war, in der Hand.

„Aber ich sah nichts auf deiner Haut.“ Sie hatte auch nichts gespürt, als sie sich um die Verletzungen an seinen Händen und Armen gekümmert hatte.

„Weil es die Eigenschaften des Trägers annimmt. Darf ich?“ Er deutete zu ihrem Handgelenk.

Sie nickte und streckte ihm ihren Arm hin. Sanft legte Carter ihr das Gerät um. Eine Sekunde später schien das Gerät mit ihrer Haut zu verschmelzen und wurde unsichtbar. Sie berührte die Stelle, spürte jedoch nichts. Sie tippte darauf, doch das Holocom öffnete sich nicht.

„Es funktioniert nicht“, sagte sie.

„Es ist genetisch codiert. Es funktioniert nur an seinem Eigentümer oder wenn es an eine Masterstation angeschlossen ist, wenn es ein Upgrade braucht oder es Zeit für die Wartung ist.“ Er nahm ihr das Holocom wieder ab, legte es um sein Handgelenk und tippte darauf.

Wie zuvor erschien das Hologramm wieder und schwebte über seinem Arm.

„Kannst du mir soweit folgen?“, fragte er und sah ihr in die Augen.

Sie musste zugeben, dass die Technologie überzeugend war und seine Behauptungen zu unterstützen schien. „Soweit ja. Aber

Zeitreisen? Ich weiß nicht.“ Es erschien ihr zu fantastisch. Könnte die Technologie in den nächsten sechzig Jahren wirklich so einen Fortschritt machen, dass Zeitreisen möglich war?

„Ich weiß, dass es schwer ist, dieses Konzept zu begreifen, doch haben Wissenschaftler, seit Albert Einstein im Jahr 1905 seine Relativitätstheorie veröffentlichte, mit dem Gedanken gespielt, dass man die Zeit krümmen kann.“

„Das stimmt schon, aber bisher ist noch niemand sehr weit gekommen, eine praktische Anwendung aus dieser Theorie zu entwickeln“, erwiderte sie.

Er lächelte. „Wie ich schon sagte, nicht im Jahr 2025. Aber unsere Wissenschaftler haben es geschafft. Und das bringt mich zu dem Grund, warum ich hier bin. Warum ich gekommen bin, um dich zu finden.“

Sie wartete mit angehaltenem Atem und ihr Puls raste.

„Im Jahr 2025 verbreitet sich ein Virus auf der ganzen Welt. Es kommt vom Südamerikanischen Kontinent. Die ersten

Amerikaner haben sich bereits infiziert. Ihr Kreuzfahrtschiff hat schon in Long Beach angelegt.“

Julie entkam ein leises Keuchen. Sie erinnerte sich an das, was Belle erwähnt hatte. „Das Kreuzfahrtschiff. Aber ich dachte, das ist wieder mal der übliche Ausbruch, den es auf allen Kreuzfahrtschiffen gibt, weißt du, dieses Norovirus, bei dem dann alle kotzen müssen.“

Carter schüttelte den Kopf. “Ich befürchte, das war nicht das Norovirus. Es ist etwas, das noch nie jemand gesehen hat. Das Virus wird Millionen von Menschen auf der ganzen Welt töten, und diejenigen, die überleben, werden sich glücklich schätzen. Doch was sie nicht wissen, ist, dass das Virus sich in die menschliche DNA einschleicht und immer wieder mutiert. Die Mutation wird Jahrzehnte unentdeckt bleiben, doch sie wird immer mehr Frauen unfruchtbar machen, jedoch keine Auswirkung auf Männer haben. Bis unsere Wissenschaftler die Ursache der Unfruchtbarkeit finden, ist die Anzahl der Frauen, die noch in der Lage sind, schwanger zu werden und ein Kind zu gebären, auf weniger als ein Prozent weltweit gefallen.“ Er sah mit ernstem Blick an ihr vorbei, als denke er an einen persönlichen Verlust. „Im Jahr 2085, dem Jahr aus dem ich komme, steht die Menschheit am Rande des Aussterbens. Meine zwei Schwestern werden nie Kinder haben.“

Julie schluckte schwer. “Wenn das, was du sagst, wahr ist ... dann verstehe ich nicht ... ich meine, wenn eure Wissenschaftler das Zeitreisen entwickelt haben, dann können sie doch sicher auch diese Genmutation, die Unfruchtbarkeit erzeugt, ausmerzen.“

„Sie versuchten es. Sie entwickelten einen Impfstoff, der theoretisch funktioniert, doch nur an den wenigen Menschen, die diese Mutation nicht in ihrer DNA haben. Zudem entwickelt sich das Virus immer weiter und darum muss auch der Impfstoff immer wieder geändert werden. Es ist ein ständiger Wettlauf gegen die Zeit. Und leider haben es unsere Wissenschaftler nicht geschafft, eine Behandlung zu entwickeln. Das Virus ist schlauer geworden als unsere Wissenschaftler. Um unsere Welt vom Aussterben zu bewahren, gibt es nur eine Lösung: in die Zeit zu reisen, in der sich das Virus noch nicht verbreitet hat. In das Jahr 2025."

„Und was willst du hier tun?", fragte sie, obwohl sie schon vermutete, was die Antwort sein würde. Carter war gekommen, um das Virus mit einem Impfstoff auszumerzen. Wie Julie in diesen Plan passte, wusste sie nicht.

„Wir müssen Frauen zurück in die Zukunft bringen, bevor sie sich anstecken." Er sah sie direkt an. „Frauen wie dich. Du wirst dich am 2. Oktober infizieren und am 6. Oktober in ein Koma fallen, von dem du nie wieder erwachen wirst."

Julie fühlte sich, als hätte ihr jemand die Luft aus der Lunge gestohlen. Sie konnte nicht atmen, konnte nicht denken, sich nicht bewegen. „Nein." Sie spürte, wie sich ein Schluchzer ihre Kehle hocharbeitete. „Das kann nicht sein. Du musst dich täuschen."

Carter brachte seinen Arm mit dem Holocom näher, dann scrollte er so schnell, dass ihre Augen ihm gar nicht folgen konnten, bis er ein paar Dokumente öffnete.

„Das ist deine Krankenkartei vom UCLA Medical Center."

Ihre Augen überflogen das Dokument, das seine Behauptung bestätigte. „Das kann gefälscht sein. Jeder kann heutzutage Dokumente fälschen."

Er scrollte zum nächsten Dokument, eine Sterbeanzeige in der Zeitung ihrer Heimatstadt. Sie sah ein Foto von sich, zusammen mit ihrem Geburts- und Todestag, sowie einen kurzen Artikel über ihr Leben.

Weiterhin schüttelte sie den Kopf. „Nein. Nein."

Carter legte seine Hand auf ihre und drückte sie. „Bitte glaub mir. Ich bin nicht hier, um dir wehzutun. Ich bin hier, um dich mit in die Zukunft zu nehmen. Damit du ein volles Leben haben kannst. Und uns hilfst, die Welt neu zu bevölkern."

„Aber, aber ..." Zu viele Dinge schwirrten in ihrem Kopf umher. Glaubte sie ihm? Sie war sich immer noch nicht sicher. Zu viele Fragen blieben. „Aber kannst du uns nicht einfach den Impfstoff geben, damit all das nicht geschieht?"

„Das ist unmöglich."

„Aber dann hätte das Virus keine Chance

sich zu verbreiten und deine Welt ist damit auch gerettet.“

„Das können wir nicht tun. Wenn wir etwas im Jahr 2025 ändern, dann wird das Jahr 2085, zu dem ich zurückkehre, nicht mehr dasselbe sein. Wir dürfen die Vergangenheit nicht ändern, sonst ändern wir die Zukunft. Deshalb bist du eine der Frauen, die wir ausgewählt haben. Dein Tod bedeutet, dass du keine Gelegenheit gehabt hättest, etwas zur Zukunft beizutragen. Etwas, das diese, im Falle deines Überlebens, geändert hätte. Keine Nachkommen, keine beruflichen Leistungen, keine Erfindungen, die du hättest machen können. Dich ins Jahr 2085 mitzunehmen wird die gleiche Auswirkung haben, wie wenn du an dem Virus stirbst.“

Ihr Tod. Sie kam an den Worten einfach nicht vorbei. Sie waren so endgültig, so unvermeidlich. Aber waren sie wahr?

„Ich möchte dir glauben, wirklich, aber ich verstehe das alles nicht. Ich kann nicht ...“ Sie erinnerte sich an etwas. „Wenn das alles wahr ist, wenn du so viel über mich weißt, warum musstest du dann in mein Zimmer einbrechen und es durchsuchen? Das ergibt keinen Sinn.“ Sie deutete auf das Holocom. „Dieses Ding, wenn es echt ist, hätte dir alles mitteilen sollen, was du brauchtest.“

Sein Gesicht nahm einen bedauernden Ausdruck an. „Es tut mir leid. Das wollte ich nicht tun, aber ich hatte keine andere Wahl. Bei meinem Zeitsprung ging etwas schief. Ich hätte schon vor sechs Monaten hier ankommen sollen, damit ich genügend Zeit hätte, dich kennenzulernen, bevor ich dich mit all dem überrumple. Aber ich kam erst vor ein paar Tagen an und musste schnell handeln. Ich wusste genau, wo du vor sechs Monaten warst. Aber all diese Informationen waren nutzlos. Du warst umgezogen und ich brauchte einen Tag, um dich zu finden. Und dann warst du nicht hier. Ich musste mit dir Kontakt aufnehmen, also brach ich ein und schaute mich in deinem Zimmer um, in der Hoffnung, dass ich irgendeinen Hinweis finden könnte, wohin du gegangen bist. Ich sah deinen Social-Media-Post, wo du schriebst, dass du zu einer Party unterwegs bist. Deshalb bin ich dort aufgetaucht.“

So wie er es erklärte, ergab es Sinn. Doch etwas fehlte noch. „Mein Social-Media-Post hat nicht erwähnt, zu welcher Party ich ging. Weißt du, wie viele Fraternity-Partys es jeden beliebigen Freitag gibt? Allein durch den Social-Media-Post hättest du mich sicher nicht gefunden."

Carter blieb stumm, doch irgendetwas ging in seinem Kopf vor. Sie konnte es sehen. Sie konnte sehen, wie sich die kleinen Rädchen in seinem Gehirn drehten. Er verschwieg ihr etwas.

„Sag mir die Wahrheit! Wie hast du mich gefunden?", drängte sie ihn.

„Ich wünschte, das würdest du mich nicht fragen."

„Warum? Weil du dir noch keine gute Antwort dafür ausgedacht hast?" Sie schüttelte den Kopf. „Wenn du das nicht beantworten kannst, dann muss ich annehmen, dass alles, was du mir bisher erzählt hast, eine Lüge ist."

Carter schloss kurz die Augen und füllte seine Lunge mit Luft. Dann sah er sie wieder an. „Ich wollte dir das ersparen. Aber …" Er beendete den Satz nicht, sondern scrollte zu einem weiteren Dokument.

Julie beugte sich näher und las es. Es war ein Polizeibericht. Das Datum: heute? Sie las weiter. Mit jeder Zeile wurde ihr Mund trockener und ihr Puls schneller. Sie keuchte und schlug sich die Hand vor den Mund. Dort am Ende des Dokuments war ihre Unterschrift. Sie hatte heute Morgen Anzeige bei der Polizei erstattet und ausgesagt, dass sie am Abend zuvor bei der Fraternity-Party vergewaltigt worden war. Der Täter war kein anderer als Todd Stirling.

Carter schaltete das Holocom ab. „Es tut mir leid. Ich wollte nicht, dass du das sehen musst. Als ich nichts fand, was mir einen Hinweis darauf gegeben hätte, zu welcher Fraternity-Party du unterwegs warst, sah ich nochmals all die Information durch, die ich über dich hatte, und fand den Polizeibericht. Daher wusste ich, wo du warst. Und dass Todd versuchte, dir Drogen unterzujubeln.“

Er legte den Arm um sie und bei dem Kontakt konnte Julie die Tränen nicht länger zurückhalten. Sie ließ sie frei laufen, während

Carter sie in seine Arme zog und ihr zärtlich mit der Hand übers Haar streichelte, als tröstete er ein Kind.

Sie brauchte keinerlei Beweise mehr. Nachdem sie von Todd und seinem Freund angegriffen worden war, wusste sie, zu was die beiden fähig waren. Was ihr Schicksal gewesen wäre. Und wer sie davor bewahrt hatte. Zweimal. Carter. Er hatte sich ihr absolutes Vertrauen verdient.

21

Carter wiegte Julie in seinen Armen und ließ sie weinen, bis sie keine Tränen mehr hatte. Er wünschte, er hätte sie auf andere Weise von der Wahrheit überzeugen können. Doch sie hatte darauf bestanden. Letztendlich war es egal, warum Julie zusammengebrochen war, ob wegen des Polizeiberichts oder der echten Beinahe-Vergewaltigung, die Carter nur um Haaresbreite hatte verhindern können. Es schmerzte ihn innerlich, dass er das nicht hatte kommen sehen. Er hätte wissen müssen, dass ein Typ wie Todd die Demütigung auf der Party nicht einfach hinnehmen würde. Er war der Typ, der Vergeltung suchte. Ab jetzt würde er Julie keine einzige Sekunde mehr aus den Augen lassen. Er konnte nicht zulassen, dass jemand sie verletzte. Sie war sowieso schon verletzlich genug. Ihre ganze Welt war über ihr zusammengebrochen. Sie brauchte ihn jetzt. Und wenn das bedeutete, dass sie sich an seiner Schulter ausweinen musste, dann würde er ihr das auch gewähren. Im Moment zählte nichts anderes.

„Danke", murmelte sie und hob ihren Kopf, um ihn anzusehen. Ihre Augen waren geschwollen, doch für ihn war sie dadurch nicht weniger schön. Jetzt wusste er mit Gewissheit, dass sein Vater recht gehabt hatte.

Wenn dir das richtige Mädchen über den Weg läuft, dann weißt du es, mein Sohn.

„Ich bin froh, dass ich es rechtzeitig geschafft habe. Ich weiß nicht, was ich getan hätte, wenn ..." Er stoppte sich. Er wusste genau, was er getan hätte, wenn er Todd beim Akt der Vergewaltigung erwischt hätte. Er hätte ihm den Hals aufgeschlitzt.

„Du bist rechtzeitig gekommen", sagte

Julie und brachte ihre Lippen nahe zu seinen. „Wird es dir wehtun, wenn ich dich küsse?“

Seine Lippe war aufgeplatzt. „Es ist mir egal, ob es wehtut.“

Julie strich mit ihren Lippen über seine und küsste ihn sanft. Er erwiderte den Kuss, doch übernahm er nicht die Kontrolle. Stattdessen passte er sich ihrer Führung an und nahm, was sie ihm geben wollte.

Als sie ihren Kopf zurückzog, strich er ihr mit dem Handrücken über die Wange.

„Sag mir, wie die Zukunft aussieht“, forderte sie ihn auf.

„Ich weiß nicht, wo ich anfangen soll. Was möchtest du wissen?“, erwiderte Carter.

„Alles. Wie zum Beispiel, ob die Leute noch normale Jobs haben. Oder wird alles von Robotern erledigt?“

Carter schmunzelte. „Wir arbeiten noch. Aber viele der Hilfsjobs oder der Art von Arbeiten, die sich als schädlich für den menschlichen Körper erwiesen, werden von Maschinen ausgeführt.“

„Welche Arbeiten?“

„Bauarbeiten zum Beispiel. Wolkenkratzer

werden hauptsächlich von Maschinen gebaut. Keine Arbeiter müssen weiterhin die schwere körperliche Arbeit auf einer Baustelle verrichten."

„Aber hat das denn nicht viel Arbeitslosigkeit hervorgerufen? Ich meine, was machen denn all die Bauarbeiter jetzt?"

„Es hat sie für Jobs befreit, wo menschliche Intelligenz notwendig ist. Viele der Leute, die sonst auf einer Baustelle gearbeitet hätten, steuern jetzt die Maschinen und Computer, die die Arbeit für sie machen. Die Arbeitslosigkeit liegt bei unter einem Prozent."

„In den USA?"

„Die USA existiert eigentlich nicht mehr, zumindest nicht in ihrer gegenwärtigen Form."

„Soll das heißen, dass uns ein anderes Land eingenommen hat?"

Carter lachte leise. „Nein, das meinte ich nicht. Alle Länder der Welt haben sich zu einer Föderation zusammengeschlossen, zu einer globalen Einheit. Es gibt keine Grenzen mehr. Jeder kann hinziehen, wo seine Fähigkeiten gebraucht werden."

„Aber wie funktioniert das denn? Ziehen

dann nicht alle an denselben Ort, ich meine …“ Sie gestikulierte mit den Händen. „Werden sie nicht alle hierher kommen, um ein besseres Leben zu haben?“

„Du nimmst an, dass es arme und reiche Länder gibt. Das ist nicht mehr der Fall. Nach dem Endkrieg von 2043, in dem alle Diktatoren der Welt endlich gestürzt wurden, machte sich die Föderation an die Arbeit, gleichwertige Bedingungen zu schaffen, faire Preise für Rohstoffe festzulegen und allen Menschen Zugang zu Impfstoffen, dem Gesundheitswesen und einer Grundversorgung bereitzustellen. Innerhalb von zwei Jahrzehnten hatten alle Nationen ihren Lebensstandard auf das Niveau der damals reichsten Länder wie den USA und Deutschland anheben können.“

Julie runzelte die Stirn. „Aber bedeutet das, dass die Welt jetzt kommunistisch ist?“

„Nein, weit entfernt. Sicherlich sind so grundlegende Bedürfnisse wie Medizin, Wasser, Lebensmittel und Unterkunft garantiert. Doch als endlich der Kampf ums nackte Überleben nicht mehr das wichtigste

Streben der Menschen war, fingen die Leute an, nach Selbstverwirklichung zu streben. Alle wurden produktiver, waren glücklicher und entwickelten neue Erfindungen und neue Technologien."

„Und wo wohnst du im Jahr 2085?"

Er lächelte. „Hier in Los Angeles. Meine Eltern haben ein Haus am Strand. In Century City oder was heute noch Century City ist."

Julie schüttelte den Kopf. "Aber Century City ist doch nicht am Strand. Es liegt mehrere Kilometer im Landesinneren."

„Nicht im Jahr 2085. Der Meeresspiegel stieg, bevor unsere Wissenschaftler den Klimawechsel in den Griff bekamen. Für viele Städte an den Küsten war es schon zu spät. Florida ist fast komplett unter Wasser."

Mit geweiteten Augen sah Julie ihn an. „Oh mein Gott. Aber die ganzen Leute, die dort wohnten ..."

„Sie zogen weiter ins Landesinnere."

Julie seufzte. „Ich weiß gar nicht, was ich sonst noch fragen soll. Ich meine, habt ihr Autos, die fliegen?"

„Nein, haben wir nicht, obwohl die

Technologie dazu existiert. Aber wir haben genügend andere Transportmöglichkeiten: selbstgesteuerte Autos, Hochgeschwindigkeitszüge und Hyperschallflugzeuge. Alles ist perfekt zeitgesteuert, sodass es keine Staus gibt."

„Und was ist mit dem Essen? Esst ihr noch Fleisch?"

„Ja und Fisch, aber das meiste wird in großen Labors hergestellt."

„Wie?"

„Mit Stammzellen. Wir haben auf die Forschung aufgebaut, die in den 1980ern begann. Aber ich kenne mich da nicht so gut aus. Wie ich schon sagte, bin ich nicht so schlau wie du."

Sie lachte und schlug ihm spielerisch auf die Schulter. „Das klingt so erstaunlich. Nicht nur eine neue Epoche, sondern eine neue Welt", sinnierte Julie.

„In gewisser Weise ist es so. Für dich jedenfalls, obwohl es noch Dinge gibt, die du wiedererkennen wirst. Den Grand Canyon gibt es noch und er ist weiterhin geschützt. Genauso wie Yellowstone und Yosemite. Die

Menschen aus deiner Zeit haben viel Gutes getan. Sie haben die Natur für die nachkommenden Generationen bewahrt."

„Ich muss über so vieles nachdenken. Es ist alles so neu ..."

Carter schluckte schwer. Er wusste, dass das, was er nun sagen musste, schwer war. „Ich muss dir noch etwas sagen ... Es geht um die Zeitreise nach 2085."

Sie sah ihn an und ihre Augen erschienen noch größer als zuvor. „Ja?"

„Mir bleibt nicht mehr viel Zeit. Ich hätte schon vor sechs Monaten ankommen sollen, aber, wie ich schon erwähnte, lief etwas schief. Wenn ich den Zeitsprung nicht selbst einleite, dann schaltet sich die Ausfallsicherung ein."

„Eine Ausfallsicherung? Was soll die machen?"

„Die Ausfallsicherung meiner Zeitreiseuhr wird den Zeitsprung automatisch einleiten, falls ich entweder außer Gefecht ... oder tot bin. Um mich oder meine Leiche nach Hause zu transportieren."

„Wann?"

Er sah auf die Uhr auf dem Nachttisch. „In 30 Stunden."

Julie keuchte.

„Ich weiß. Es ist eine große Entscheidung, die du treffen musst, und wir haben nicht viel Zeit. Ich wünschte, ich müsste dich nicht drängen, aber wenn ich bis Montag Morgen um zwei Uhr meine Zeitreiseuhr nicht trage, dann stecke ich für immer hier fest. Ich würde keine andere Chance bekommen zurückzukehren. Und wenn das Virus sich in ein paar Tagen in Kalifornien ausbreitet, dann wirst du sterben. Und ich genauso, denn ich werde dir nicht von der Seite weichen."

„Soll das heißen, dass du hier bleiben würdest?"

„Wenn ich es muss. Entweder wir beide machen den Zeitsprung oder wir beide bleiben hier. Es gibt keine andere Wahl. Nicht für mich."

Sie sah ihn an und ein Ausdruck von Überraschung und Verwirrung erschien auf ihrem Gesicht. „Aber dann wird deine Mission scheitern."

„Es gibt genügend andere wie mich, Zeitreisende mit der gleichen Mission."

„Aber wenn du mit dem Virus recht hast, dann riskierst du hier zu sterben."

Er nahm ihre Hände in seine. „Zumindest werde ich die wahre Liebe erfahren haben, wenn es auch nur für kurze Zeit war."

„Liebe?" Sie schluckte. „Willst du sagen, dass du mich liebst?"

„Ja, Julie, ich liebe dich. Ich hätte es nie für möglich gehalten, mich innerhalb so kurzer Zeit zu verlieben, aber ich weiß nicht, wie ich dieses Gefühl sonst beschreiben soll. Wenn du hier bleibst, dann bleibe ich auch, denn ohne dich nach Hause zurückzukehren, würde mir das Herz brechen."

Ihre Augen füllten sich mit Tränen. „Oh, Carter ..."

„Bitte weine nicht. Vergib mir, wenn ich etwas Falsches gesagt habe. Ich wollte dir nicht wehtun."

Sie schüttelte den Kopf. „Du tust mir nicht weh."

„Warum weinst du dann?"

„Weil du mich liebst."

„Ist das so schlimm?“

„Nein. Es ist nur etwas, das ich nicht erwartet hatte.“ Sie entzog ihm ihre Hände und legte sie auf sein Gesicht. „Als ich dachte, dass du mich betrogen hast, brach es mir das Herz … weil ich … ich dich auch liebe.“

Sein Herz schwoll vor Rührung an. Bevor er sich näherbeugen konnte, um sie zu küssen, fügte sie hinzu: „Ich möchte ein Leben mit dir haben.“

„Heißt das, du kommst mit mir in die Zukunft zurück?“

Sie nickte. „Ja.“

22

Carter nahm ihren Mund gefangen und küsste sie, wobei er seine schmerzenden Lippen, seinen geprellten Kiefer und seine anderen Verletzungen ignorierte.

Als er von ihr abließ, sagte er: „Dann gehen wir gleich morgen früh zu meinem Zimmer zurück und holen die Zeitreiseuhren."

„Und meine Freundinnen? Wie erkläre ich es denen?"

„Du kannst ihnen die Wahrheit nicht sagen. Aber du wirst nicht ohne Abschiedsworte verschwinden. Das verspreche ich dir. Vertraust du mir?"

„Ja."

Julie küsste ihn und drückte ihn zurück, sodass er auf dem Bett zu liegen kam. Seine Brust war bereits nackt und jetzt öffnete sie den Knopf seiner Hose.

Carter stoppte sie und unterbrach den Kuss. „Das musst du jetzt nicht machen. Nicht nach dem, was geschehen ist ... Ich würde vollkommen verstehen, wenn du im Moment von keinem Mann berührt werden wolltest ..."

Sie setzte sich rücklings auf ihn. „Wenn du Schmerzen hast, können wir aufhören." Sie streichelte sanft über die Blutergüsse an seinem Oberkörper.

„Es tut nicht weh. Jedenfalls nicht sehr."

Sie zwinkerte ihm zu. „Dann muss ich eben sanft mit dir umgehen. Leg dich einfach zurück und entspann dich." Sie rutschte nach hinten und zog seinen Reißverschluss hinab. „Außer einem Teil." Sie legte ihre Hand auf seine unter dem Stoff versteckte Erektion.

„Also willst du mich nur wegen meines Schwanzes, oder?"

„Und warum ist das ein Problem?" Sie schmunzelte verschmitzt.

„Es ist kein Problem. Überhaupt kein Problem."

„Das hatte ich mir schon gedacht", sagte sie und half ihm, sich von seiner Kleidung zu befreien, bevor sie ihr eigenes T-Shirt über ihren Kopf zog und aus ihrem Höschen schlüpfte.

Einen Augenblick später saß sie wieder rücklings auf ihm und diese Position, wie Julie die Führung übernahm, gefiel ihm.

Als sie sich auf ihre Knie hob und seinen Schwanz zu ihrer Mitte brachte, hob er die Hand.

„Äh, Julie, hast du nicht was vergessen?"

„Was denn?"

„Das Kondom?"

"Ich wollte schon mal einen Vorsprung, die Welt neu zu bevölkern, erarbeiten, wenn dir das nichts ausmacht."

Ein breites Grinsen breitete sich auf seinem Gesicht aus und sein Herz füllte sich mit Wärme, Liebe und Dankbarkeit. „Oh, bei einem Vorsprung sage ich nicht nein."

Bis er das letzte Wort herausgebracht hatte, pfählte sich Julie bereits auf seinem

Schwanz, nahm ihn in ihre heiße Scheide auf und begann, ihn zu reiten.

Carter liebte es, wie ihre perfekten Brüste mit jeder ihrer Bewegungen auf und ab wippten. Er berührte sie, streichelte sie und Julie beugte sich über ihn, damit er ihre Brüste küssen und lecken konnte. Er nahm eine nach der anderen rosigen Knospe in seinen Mund und saugte daran, während er das geschmeidige Fleisch drückte und mit seinen Handflächen formte.

„Oh Gott, Julie", keuchte er stöhnend, „du bist so perfekt. Perfekt für mich."

Er spürte, wie sie seinen Schwanz in ihrem engen Kanal drückte und ihn nahe dazu brachte, die Selbstkontrolle zu verlieren, doch er zwang sich trotz der verführerischen Art, wie sie ihn ritt, zur Zurückhaltung. Das Wissen, dass er ohne jegliche Barriere in ihr war und sie heute Nacht vielleicht das erste neue Leben für die Zukunft zeugen könnten, trug noch zu seiner Erregung bei. Er würde nicht nur in seiner Mission, seinem Volk und seiner Familie zu helfen, Erfolg haben, sondern auch etwas ganz Besonderes für sich selbst mitbringen: eine Frau, die ihn liebte und die er liebte.

Er wusste, dass er nicht länger durchhalten konnte, denn das Vergnügen war zu intensiv, also brachte er seine Hand zu ihrem Geschlecht und fand ihre Klitoris. Mit jeder Auf-und-ab-Bewegung rieb er seinen Daumen über ihr geschwollenes Organ.

Stöhnende Laute des Vergnügens rollten über Julies Lippen. Sie warf ihren Kopf in den Nacken und schloss die Augen. Ihr Haar flog umher, ihre Nippel waren kleine harte Knospen und ihre Muschi war feucht und heiß.

„Ja, ja, hör nicht auf“, bat sie, während sie ihn mit jeder Sekunde wilder und schneller ritt.

Er verstärkte den Druck auf ihrer Klitoris, ließ sich von ihren Bewegungen leiten, bis sie schließlich keuchte. Einen Augenblick später verkrampfte sich ihre Scheide. Er ließ die Zügel los, mit denen er sich im Zaum gehalten hatte, und kam in langen, heißen Schüben zum Höhepunkt und füllte sie mit seinem Samen, bis er nichts mehr in sich hatte.

Julie brach auf seiner Brust zusammen und

eine Schmerzenswelle durchfuhr ihn und entrang ihm ein Ächzen.

„Tut mir leid.“ Julie versuchte sofort, sich wieder aufzusetzen, um ihr Gewicht von ihm zu nehmen, doch er legte seine Arme um sie, denn trotz der Schmerzen liebte er das Gefühl ihres Körpers auf seinem.

„Bitte bleib“, flüsterte er in ihr Haar. „Ich brauche dich.“

Sie wandte ihren Kopf und sagte sanft: „Ich brauche dich mehr.“

23

Los Angeles, Sonntag, 28. September 2025

Sie hatten verschlafen. Kein Wunder – Carter hatte sie noch zweimal geliebt, bis sie ihn schließlich davon überzeugen konnte, sich auszuruhen, damit sein Körper heilen konnte. Julie war noch lange, nachdem Carter schon schlief, wach gelegen und hatte über die Dinge nachgedacht, die er ihr über ihr Schicksal offenbart hatte. In ihrem Herzen wusste sie, er hatte die Wahrheit darüber gesagt, was ihr widerfahren würde, wenn sie hierblieb. Doch ihr Verstand musste erst noch aufholen.

Carter hatte sie um elf Uhr geweckt und sie

gebeten, sich fertig zu machen. Sie hatten geduscht und sich schnell angezogen.

Als sie fertig waren, fragte Julie: „Was ist mit meinen Freundinnen? Sie werden mich als vermisst melden.“

Er deutete zu ihrem Schreibtisch. „Du musst ihnen einen Brief schreiben.“

„Und was soll ich ihnen sagen?“

„Die Wahrheit.“

„Die Wahrheit? Aber ich dachte, niemand soll wissen –“

„Einen Teil der Wahrheit. Den Teil, der dafür sorgt, dass wir nichts an dieser Zeitleiste verändern.“

Sie setzte sich an den Schreibtisch, nahm ein Blatt Papier aus dem Drucker und einen Stift aus der Schublade.

„Erzähl ihnen, dass Todd ins Haus eingedrungen ist und dich vergewaltigen wollte, aber dass ein Fremder dich schreien hörte, dir zur Hilfe kam und es verhinderte. Und dass du den Gedanken nicht erträgst, dass alle wissen, was dir passiert ist, und dass du nicht vor Gericht aussagen willst. Deshalb gehst du für eine Weile weg, um die Sache zu verarbeiten.“

„Und Steve? Er war auch dabei.“

„Aber nicht in der ursprünglichen Zeitleiste. Du musst ihn aus dem Brief herauslassen, sonst könnte es sein Leben ändern und somit die Zukunft, meine Zukunft, unsere Zukunft.“

Sie nickte. Sie verstand und begann zu schreiben.

Als sie fertig war, legte sie den Umschlag, der für Tonia und die anderen Mädchen bestimmt war, auf ihr Bett und packte eine kleine Tasche mit ihren wichtigsten Sachen. Sie ließ ihren Blick noch einmal durch das Zimmer schweifen, bevor sie und Carter durch die Wäschekammer im Erdgeschoss das Haus verließen, damit sie nicht von ihren Mitbewohnerinnen gesehen wurden. Sie konnten nicht riskieren, dass die anderen Carter sahen und ihn vielleicht von Emilys Video wiedererkannten.

Sie gingen zur nächsten Bushaltestelle und warteten. Carter strich ihr über die Wange.

„Ich weiß, es ist schwer zu wissen, dass du sie nie wiedersehen wirst. Aber ich verspreche dir, dass meine Familie dich mit offenen Armen empfangen wird. Meine Schwestern werden dich vergöttern und meine Mutter wird dich verwöhnen."

Sie lächelte durch die Tränen, die ihre Sicht verschleierten. „Solange du für mich da bist, schaffe ich das."

Carter drückte ihre Hand. "Ich werde für dich da sein. Immer."

Sein Versprechen verlieh ihr Kraft.

Bald danach stiegen sie aus dem Bus und gingen die letzten Blocks zu Fuß dorthin, wo Carter seit seiner Ankunft gewohnt hatte. Es war ein Motel. Sie wusste nicht, warum es sie überraschte, doch es ergab Sinn. Ein Motel verlieh eine gewisse Anonymität.

Sein Zimmer war verwüstet worden und zeigte alle Anzeichen des Kampfes, der dort am Vortag stattgefunden hatte.

„Gut, dass ich dem Zimmermädchen gesagt habe, dass sie mein Zimmer nicht jeden Tag reinigen muss", sagte Carter und ging zu dem kleinen Einbauschrank. Er öffnete die oberste Schublade.

Julie blieb neben ihm stehen. Er griff in die

Schublade, doch sie war leer. Er öffnete die zweite Schublade, doch auch diese war leer.

„Scheiße!“, fluchte Carter und starrte sie an. „Die Uhren sind weg.“

Ein Schock durchfuhr sie. Einen Augenblick später ahnte sie, was geschehen war. „Todd. Er muss sie genommen haben, als du bewusstlos warst.“

Das war die einzige Erklärung, die Sinn ergab.

„Dieser verdammte Schweinehund!“, fluchte Carter. Er sah auf die Uhr neben dem Bett. „Wir müssen ihn finden und sie zurückbekommen. Wir haben weniger als vierzehn Stunden bis zum Zeitsprung übrig.“

Die Tür zum Fraternity-Haus war unverschlossen. Carter hielt es für ungefährlich, es zu betreten, obwohl zwei Typen im Wohnzimmer saßen und dort auf dem übergroßen Fernseher ein Computerspiel spielten. Er vermutete, dass Todd zwar ins Krankenhaus gegangen war, um seine Stichwunde verarzten zu lassen, doch war er bestimmt nicht zur Polizei gegangen, um den Vorfall zu melden. Er konnte schließlich der Polizei nicht sagen, dass er gerade dabei war, ein Mädchen zu vergewaltigen, als Carter ihn angriff. Die Polizei hätte ihn nicht nur verhaftet, sondern wäre auch bei Julie aufgetaucht, um sie zu befragen.

Als einer der Typen im Wohnzimmer aufschaute, als er und Julie das Haus betraten, winkte Carter. „Heh, ich wollte nur nach Todd sehen. Wie geht's ihm denn?"

„Er ist total am Arsch", erwiderte der Typ.

Sein Kumpel lachte. „Echt lustig, Kumpel."

„Ist er oben?", fragte Carter. „Ich habe vergessen, auf welchem Stockwerk sein Zimmer ist."

„Zweiter Stock, letztes Zimmer links."

„Danke, Kumpel", sagte Carter.

Er nickte Julie zu und gemeinsam gingen sie nach oben und fanden Todds Zimmer. Die Tür war nur angelehnt. Sie betraten den Raum ohne anzuklopfen.

Todd lag auf dem Bauch auf seinem Bett

und trug nur einen dünnen Bademantel und vermutlich nichts darunter.

„Hey, Kumpel, kannst du mir Eis bringen?“, fragte Todd, ohne über die Schulter zu schauen.

Carter wechselte einen Blick mit Julie. „Eher nicht, Todd“, sagte Carter.

Todd fuhr herum und hatte dabei vermutlich seine Verletzung vergessen. „Aua, autsch!“

Der Anblick und die Schmerzenslaute erfüllten Carter mit Schadenfreude.

„Was zum Teufel!“, fluchte Todd und versuchte aufzustehen, doch sein schmerzender Hintern machte ihm einen Strich durch die Rechnung und er konnte sich nur wieder ganz langsam auf den Bauch rollen. „Verschwindet, verdammt noch mal!“

Carter näherte sich ihm und funkelte ihn wütend an. „Machen wir, sobald du zurückgibst, was du mir gestohlen hast.“

„Ich habe nichts gestohlen!“, protestierte Todd.

Julie näherte sich von der anderen Seite des Bettes. „Gib sie zurück!“, verlangte sie, dann ballte sie ihre Hand zu einer Faust und boxte ihn genau auf die Stelle, an der er die Stichwunde hatte.

Todd schrie vor Schmerzen auf. Carter warf einen Blick auf die Tür, doch Julie hatte vorgesorgt und sie geschlossen, damit der Lärm nicht überall in dem großen Haus zu hören war.

„Wo sind meine Uhren?“, knurrte Carter und beugte sich hinunter. „Du hast drei Sekunden oder ich hole mein Messer heraus. Und dieses Mal kommen die Familienjuwelen dran. Verstehen wir uns?“

Todds Augen füllten sich mit blanker Angst. Genau wie Carter es erwartet hat.

„Dort.“ Er deutete zu seinem Schrank. „In der zweiten Schublade links.“

„Julie“, sagte Carter, während er Todd nicht aus den Augen ließ.

Julie ging zum Schrank und öffnete die besagte Schublade, nahm etwas heraus und wandte sich dann um. Sie hielt Carters schwarze Zeitreiseuhr in der Hand.

Carter wandte sich wieder Todd zu. „Wo ist die silberne?“ Er packte Todd am Haarschopf und zog ihn daran hoch.

„Die funktioniert ja nicht mal. Die ist nur billiger Kram."

Carter zog an den Haaren des Idioten, bis Todd zu wimmern begann. „Ich habe dich was gefragt: Wo, verdammt noch mal, ist meine silberne Uhr?"

Tränen stiegen in Todds Augen. „Steve. Er hat sie."

„Und wo zum Teufel ist Steve?"

„Nicht hier. Er ist weg."

„Ich hab von dem Arsch jetzt die Nase voll", fluchte Julie und sprang auf das Bett.

Bevor Carter wusste, was sie vorhatte, rammte sie Todd schon den Absatz ihres Schuhs in den Hintern.

Unter Schmerzensschreien presste Todd ein paar Worte heraus. „Er ist im Strandhaus seiner Eltern."

Julie sprang vom Bett und griff nach einem Blatt Papier und einem Kugelschreiber. Dann drückte sie beides Todd in die Hand. „Schreib die Adresse auf."

Todd gehorchte schnell. Er hatte endlich

begriffen, dass weder Carter noch Julie blufften.

„Hier."

Julie las die Adresse, dann schaute sie Carter an. „Das ist in Long Beach. Wir brauchen ein Transportmittel."

Carter sah sich um und erspähte einen Autoschlüssel auf dem Schreibtisch. Er schnappte ihn sich. „Es macht dir doch nichts aus, wenn wir uns dein Auto ausleihen, Todd, oder? Du kannst es in deinem Zustand ja sowieso nicht benutzen."

Todd protestierte nicht.

„Wo ist es geparkt?", fragte Julie.

„Draußen auf der Straße."

Julie sah Carter an und streckte ihre Hand nach dem Schlüssel aus. „Ich weiß, wie wir dorthin kommen. Ich fahre." Carter gab ihr den Schlüssel und sie übergab ihm die schwarze Zeitreiseuhr. „Ein BMW, schön." Mit einem Blick auf Todd fügte sie hinzu: „Ich werde versuchen, keine Kratzer zu hinterlassen, aber ich muss dich warnen, ich bin beim Einparken gar nicht gut. Und eigentlich beim Fahren auch nicht."

Todds entsetzter Blick war unbezahlbar.

Julie marschierte schon auf die Tür zu. Carter folgte ihr, dann warf er einen Blick über seine Schulter und gab Todd eine letzte Warnung.

„Wenn du Steve warnst, dass wir kommen, oder wenn er nicht da ist, wenn wir auftauchen, dann kommen wir hierher zurück.“

24

Long Beach, Sonntag, 28. September 2025

Die Fahrt nach Long Beach war eine Katastrophe. Überhaupt erst auf die Autobahn zu gelangen hatte ewig gedauert und als sie dann erst einmal dort waren, verlangsamte sich der Verkehr zu einem Kriechen. Carter schaute auf seinem Handy nach, warum der Wochenendverkehr in Los Angeles noch zähflüssiger war, als er gelesen hatte, und fand heraus, dass ein Unfall mit vier Autos alle Autobahnspuren nach Süden blockierte. An dem Punkt zu versuchen, die Autobahn zu verlassen, war unmöglich. Sie waren inmitten eines Automeers ohne eine Aussicht auf eine Ausfahrt gefangen.

Im Jahr 2085 gehörten Staus der Vergangenheit an. Es gab viel weniger Autos auf den Straßen, da viele Leute von zu Hause aus arbeiteten anstatt in großen Bürogebäuden. Außerdem waren die Autos selbstfahrend. Sie benötigten keinen menschlichen Fahrer mehr. In der Tat hatte die Eliminierung menschlicher Fehler dazu geführt, dass die Unfallzahlen um neunzig Prozent zurückgingen. Und mit jedem Upgrade sank die Unfallrate noch mehr. Viele Autobahnen waren in Grünflächen verwandelt worden.

Doch was Carter hier sah, war mehr als nur frustrierend. Keine Menge an Flüchen half und Carter wurde mit jeder Minute besorgter. Julie war auch nicht viel gelassener und er wusste, was ihr durch den Kopf ging.

„Ich werde dich nicht verlassen, wenn wir es nicht rechtzeitig schaffen“, versprach er.

Tränen wallten in Julies Augen auf, doch sie wischte sie weg, bevor sie ihre Wangen hinunterkullern konnten.

Er fühlte sich hilflos. Er konnte nichts tun, um sie aus dieser Situation zu befreien.

Bis die Unfallstelle endlich geräumt war und die Highway Patrol mehrere Spuren wieder freigegeben hatte, war es bereits dunkel.

Zumindest war das Strandhaus einfach zu finden. Julie parkte vor der Einfahrt und blockierte sie damit. Carter sprang schon aus dem Auto und schlug die Tür zu. Julie war ihm auf den Fersen, als er auf die Eingangstür zulief und die Klingel drückte.

Er lauschte auf Geräusche vom Inneren des Hauses. Er hörte Musik. Dann öffnete sich die Tür. Carter erkannte Steve, der eine Badehose und sonst nichts trug, sofort. Wasser perlte von seiner Haut und seinen Haaren. Als er Carter erkannte, wollte Steve sofort die Tür wieder zuschlagen, doch Carter hatte bereits seinen Fuß zwischen Tür und Rahmen geklemmt und blockierte sie.

Carter stemmte sich gegen die Tür und hatte einen Vorteil, denn Steves nasse Füße rutschten auf den Fliesen. Carter schaffte es, die Tür weit zu öffnen und einzudringen, während Steve auf seinen Hintern fiel. Der weiße Verband an seinem verletzten Arm trug einen Schutz aus Folie, damit er nicht nass wurde.

„Was zum Teufel willst du hier?“ Steve sah vom Boden zu ihm hoch und versuchte, sich aufzurappeln. „Hast du nicht genug Schaden angerichtet?“ Er deutete zu seinem Arm.

„Offensichtlich nicht“, sagte Carter.

Hinter ihm betrat Julie das Haus und schloss die Tür.

Carter deutete auf seine schwarze Zeitreiseuhr, die er nun am Handgelenk trug. „Wo ist die silberne?“

Steve blinzelte, als könnte er nicht sehen, worauf Carter deutete. „Was?“ Er stand auf.

„Meine silberne Uhr. Wo ist sie?“

„Wie soll ich das wissen?“, fragte Steve mit den Schultern zuckend.

„Du und Todd habt meine Uhren gestohlen. Von Todd hab ich mir bereits die schwarze zurückgeholt. Er sagte, du hättest die silberne Uhr. Also wo, verdammt noch mal, ist sie?“, knurrte Carter.

„Die war absoluter Müll. Ich habe sie weggeworfen.“

Carter stürzte sich auf ihn und packte ihn am Hals. „Du hast was getan?“

„Sie in den Müll geschmissen“, drückte Steve durch seine verengte Luftröhre hervor.

„Wo?“, fragte Carter, ohne seine Kehle loszulassen.

„Im Fraternity-Haus. Im Müllcontainer dahinter.“

„Wenn du lügst –“

„Es ist die Wahrheit. Ich schwöre es.“ Er hob seine Arme in einer Geste der Kapitulation. „Ich will keinen Ärger mehr. Deshalb bin ich hier. Ich habe Todd und die Sachen, die er immer anzettelt, satt …“

Carter ließ seine Kehle los.

„Glaubst du ihm?“, fragte Julie.

Carter sah Julie an, dann blickte er wieder zu Steve. „Sollte ich dir glauben?“ Er ergriff Steves verletzten Arm und drückte ihn dort fest, wo er den Bastard am Tag zuvor geschnitten hatte.

Steve schrie vor Schmerzen auf. „Fuck! Ich habe dir doch gesagt, dass sie in dem Müll hinter dem Fraternity-Haus ist.“

Carter funkelte ihn an. „Wenn sie nicht dort ist –“

„Sie ist dort, das schwöre ich. Ich bin kein Idiot. Ich habe gesehen, was du Todd angetan hast. Ich will nicht, dass mir dasselbe widerfährt.“

„Gut.“ Dann wandte er sich an Julie. „Lass uns gehen.“

Schnell sprangen sie wieder ins Auto und fuhren zurück zur Autobahn. Der Verkehr Richtung Norden war weniger als der in Richtung Süden.

Carter sah auf die Uhr am Armaturenbrett.

Julie warf ihm einen Seitenblick zu. „Wir dürften in fünfundvierzig Minuten dort sein, wenn der Verkehr sich nicht verdichtet.“

Julie hatte recht. Oder sie hätte recht gehabt, doch kurz vor der Wilshire Boulevard Ausfahrt, die zum UCLA-Gelände führte, stotterte der Motor und das Auto wurde langsamer. Julie war gezwungen, auf die rechte Spur, die Ausfahrt für den Olympic und Pico Boulevard, auszuweichen, bis das Auto schließlich auf dem Seitenstreifen stehenblieb.

„Was ist los?“ Carter starrte Julie an.

Sie sah auf das Armaturenbrett, dann wieder zu ihm. „Wir haben kein Benzin mehr."

„Benzin? Das Auto läuft mit Benzin?"

Julie nickte. „Mit was denn sonst?"

„Kernspaltung."

„Du machst wohl Spaß."

„Im Jahr 2085 läuft alles durch Kernspaltung. Es ist soviel günstiger als fossile Brennstoffe. Sicher, in einigen Ecken der Welt gibt es noch ein paar Orte, die noch nicht aufgeholt haben, und die benutzen immer noch Sonnen- und Windenergie oder sogar geothermische Energie, aber fossile Brennstoffe? Absolut nicht."

Julie seufzte. „Na ja, jedenfalls ist uns das ausgegangen."

„Fuck!"

25

Los Angeles, Montag, 29. September 2025, 0:45 Uhr

„Fuck!“, fluchte Carter.

Julie starrte Carter an und Panik schnürte ihr die Kehle zu. „Wir müssen das Auto hierlassen.“

Sie öffnete die Fahrertür, doch bevor sie aussteigen konnte, brauste ein Auto vorbei und sandte eine Schockwelle durch ihren Körper. Ihr Puls raste.

„Meine Seite“, wies Carter sie an, öffnete die Tür auf der Beifahrerseite und stieg aus.

Dann half er Julie, über den Sitz zu

steigen und das Auto zu verlassen. Zusammen rannten sie den Seitenstreifen entlang der Ausfahrt bis zur nächsten Straße hoch. Dort hielten sie an. Julie orientierte sich.

„Wir können uns einen Uber rufen“, sagte sie und zog ihr Handy aus der Handtasche.

„Einen was?“, fragte Carter.

„Einen Fahrdienst, wie ein Taxi“, erklärte sie, während sie zu der App navigierte und die Details eingab. Das Navi der App erkannte, wo sie war, und sie tippte die Adresse des Fraternity-Hauses ein.

Augenblicke später zeigte die App an, dass sie nach einem verfügbaren Auto suchte. Das Rad drehte und drehte sich.

„Komm schon“, redete sie der App gut zu.

„Was dauert so lange?“, fragte Carter und sah auf das Display.

„Ich weiß es nicht.“

Nach ein paar Sekunden, die ihr wie Minuten vorkamen, meldete die App sich endlich mit einem Resultat. Das nächste Auto war fast vierzig Minuten entfernt. Und aus ihrer Erfahrung wusste Julie, dass dies nur geschätzt war. Die Abholzeit konnte sich noch ändern, je nachdem, wie viel Verkehr es gab.

„Das wird zu knapp“, sagte Carter. „Können wir einen Bus nehmen?“

Julie schüttelte den Kopf. „Nach Mitternacht gehen die nur stündlich und von hier gibt’s keine direkte Linie zur Uni. Wir müssten mindestens einmal umsteigen.“

„Dann müssen wir laufen.“

Julie gab die Adresse des Fraternity-Hauses in ihre Landkarten-App ein. Die Entfernung betrug fast fünf Kilometer, wofür die App eine Gehzeit von einer Stunde und zehn Minuten ausrechnete. Laufen wäre schneller.

Sie deutete zu einem Fußgängerüberweg. „Diese Richtung. Sepulveda Boulevard führt in Richtung Westwood.“

Carter nahm ihre Hand und sie begannen zu laufen. Julie war keine besonders gute Joggerin. Tatsächlich war es schon eine Weile her, seit sie gejoggt war, und das rächte sich jetzt. Sie war nicht fit. Sie war froh, dass sie an jeder Ampel gezwungen waren, kurz anzuhalten, bis sie die Straße überqueren konnten. Sie wurde immer atemloser, aber sie jammerte nicht. Sie wusste, was auf dem Spiel stand. Ausruhen konnte sie sich, wenn sie erst einmal in der Zukunft waren.

„Alles okay?“, fragte Carter mit einem Seitenblick auf sie, ohne langsamer zu werden.

„Alles okay.“ Sie sagte ihm nicht, dass sie außer Atem war, doch so, wie er sie ansah, wusste er es.

„Wir schaffen es, Julie, das verspreche ich dir. Selbst wenn ich dich das letzte Stück tragen muss.“

Sie hoffte, dass es dazu nicht kommen würde, und trieb sich an. Sie hatten die Unterführung der Interstate 10 hinter sich gelassen, was bedeutete, dass sie bereits in Westwood waren. An der nächsten Kreuzung bogen sie in die Ohio Avenue ein und ein paar Blocks weiter wandten sie sich auf dem Veteran Boulevard nach Norden. Diese Straße lief parallel am Los Angeles Nationalfriedhof vorbei, der jetzt in Sicht kam.

Carter deutete zum Friedhof. „Wir können nicht mehr weit entfernt sein. Dort bin ich beim Zeitsprung gelandet.“

Sie nickte und deutete nach rechts, wo die Straßen einer geringen Steigung folgten. „Gayley Avenue ist dort drüben."

Die geringe Steigung, die sie bald die Seitenstraße hinaufliefen, fühlte sich nicht mehr so gering an. Julie war außer Atem und sie schnaufte und keuchte.

„Du musst ohne mich weiterlaufen", sagte sie.

Carter sah sie an. „Ich kann dich nicht hier zurücklassen."

Sie keuchte noch mehr. Das Fraternity-Haus war nur noch drei Blocks entfernt, doch sie konnte nicht mehr weiterlaufen.

„Bitte, lauf und such die Uhr und dann komm hierher zurück", bat sie ihn, doch sein Gesichtsausdruck zeigte ihr, dass er das nicht tun würde.

„Ich werde dich tragen", sagte er und hob sie hoch.

Einen Augenblick später hatte er sie über seine Schulter gehoben und nun hing sie mit dem Oberkörper über seinem Rücken, während er sie mit einem Arm über ihre Oberschenkel geschlungen festhielt und zu laufen begann. Er verringerte die Geschwindigkeit etwas, war aber immer noch recht schnell. Julie konnte nicht einmal protestieren.

Es fühlte sich wie eine Ewigkeit an, bis er endlich von der Straße in eine kurze Auffahrt einbog. Sie waren am Fraternity-Haus angekommen. Carter lief mit ihr über der Schulter weiter, bis sie hinter dem Haus ankamen. Dort stellte er sie wieder auf die Füße. Er atmete jetzt schwer, doch er ruhte sich keine einzige Sekunde aus.

Seine Augen schweiften in der Dunkelheit, die nur von Mondlicht durchbrochen war, umher. Er deutete auf eine Stelle. „Dort, die Abfalltonnen."

Julie hatte sich dadurch, dass sie getragen worden war, etwas erholt. Sie lief darauf zu, zog ihr Handy heraus und warf einen Blick auf die Uhrzeit. Sie hatten acht Minuten, um drei große Aschentonnen zu durchsuchen.

Sie richtete das Spotlight ihres Handys auf die Tonnen. Sie waren hoch und breit. Sie hatte eine Idee. „Wir kippen sie um und verstreuen alles auf dem Boden."

Carter folgte ihrem Vorschlag und innerhalb

von wenigen Sekunden lag der Inhalt der drei Tonnen auf dem Boden verstreut. Es stank widerlich und die vielen Flaschen und Bierdosen hatten beim Herauskullern einen unglaublichen Lärm gemacht.

Mit Hilfe ihrer zwei Handys durchsuchten sie den Abfall. Wann immer etwas Silbernes aufblitzte, beugte sich Julie danach, nur um festzustellen, dass es nichts anderes als eine Folienpackung war. Seinen unterdrückten Flüchen nach zu urteilen, hatte Carter auch nicht mehr Glück.

„Sie muss hier sein“, sagte Carter mit einer Stimme, die immer besorgter klang.

Außer Steve hatte sie angelogen. Doch Julie sprach den Gedanken nicht aus. Stattdessen suchte sie panisch weiter. Ganz kurz sah sie auf die Uhr auf ihrem Handy. Noch zwei Minuten. Ihr Atem verfing sich und Tränen stiegen ihr in die Augen. Sie hatten fast keine Zeit mehr.

Von der Seite des Hauses hörte sie plötzlich ein Geräusch. Gleichzeitig bewegte sich der Strahl einer Taschenlampe zickzackartig am Haus entlang und kam näher.

„Ich habe sie“, sagte Carter plötzlich und bückte sich.

Als sie zu seiner Hand blickte, sah sie die silberne Uhr.

„Es kommt jemand“, flüsterte Julie und eilte zu Carter.

Er ergriff sofort ihren Arm und legte die Uhr um ihr Handgelenk. Sie versuchte, ihm zu helfen, das Band zu schließen, als das Licht der Taschenlampe auf ihr Gesicht fiel.

„Scheiße!“, fluchte sie.

„Verdammte Penner!“, fluchte der Mann, dessen Körper sie nicht sehen konnte. „Das räumt ihr jetzt aber sofort wieder auf oder ich erschieße euch.“

„Hey, hey“, sagte Carter, als er es endlich geschafft hatte, den Verschluss der Uhr zuzumachen. Er hob seine Hände und Julie tat es ihm gleich. „Bitte nicht schießen.“

Julie war sich nicht sicher, ob der Typ wirklich eine Schusswaffe hatte. In dieser Nachbarschaft gab es nicht viele Leute, die eine Waffe besaßen, doch es war dennoch möglich, dass er bewaffnet war.

„Wir haben's nicht böse gemeint", sagte Julie.

„Das kann ich sehen", grunzte der Typ angewidert. Er bewegte den Lichtkegel der Taschenlampe und nun konnte Julie erkennen, dass er wirklich eine Waffe hatte. Er richtete sie auf sie. „Ihr hebt den ganzen Müll jetzt sofort auf, oder –"

Seine restlichen Worte verklangen.

Alles um sie herum verwandelte sich plötzlich zu Pixeln, alles außer Carter. Er hatte seine Hände heruntergenommen und griff nun nach ihrer Hand und hielt sie fest. In einer Welt, in der alles um sie so schnell herumzuwirbeln schien, dass die Farben ineinander verflossen, waren Julie und Carter die einzigen Objekte, die stillstanden. Julie spürte keine Bewegung. Ihre Füße standen noch immer auf festem Boden, während sich die Welt um sie und Carter drehte.

Plötzlich breitete sich ein strahlendes Weiß um sie herum aus, bevor es sich wieder verdunkelte, die Pixel sich wieder vereinigten und eine neue Welt um sie herum formten. Carter hielt immer noch ihre Hand. Doch das

Fraternity-Haus war verschwunden. An dessen Stelle stand ein modernes Gebäude aus Glas, das sich gegen strahlendes Sonnenlicht abzeichnete.

Carter legte einen Arm um ihre Taille. „Willkommen im Jahr 2085."

Julie wandte sich ihm zu. „Du hast es geschafft."

„*Wir* haben es geschafft. Zusammen."

„Zusammen", sagte sie und spürte, wie Tränen ihre Wangen hinabkullerten.

Carter zog sie in seine Arme und küsste sie, bis ihre Tränen trockneten. Dann nahm er ihre Hand in seine. „Lass uns nach Hause gehen."

„Ich liebe dich", murmelte sie.

Er lächelte sie an. „Ich liebe dich mehr."

Über die Autorin

Tina Folsom ist gebürtige Deutsche und lebt schon seit über 25 Jahren im englischsprachigen Ausland, seit 2001 in Kalifornien, wo sie mit einem Amerikaner verheiratet ist.

Mittlerweile hat sie 50 Bücher in Englisch sowie Dutzende in anderen Sprachen herausgegeben.

https://tinawritesromance.com/deutscheleser/

tina@tinawritesromance.com

facebook.com/TinaFolsomFans

instagram.com/authortinafolsom

youtube.com/TinaFolsomAuthor

Zeitfracht Medien GmbH
Ferdinand-Jühlke-Straße 7
99095 Erfurt, Deutschland
produktsicherheit@kolibri360.de